EDGAR P. JACOBS

EL MISTERIO de la GRAN PIRÁMIDE

TOMO 2: LA CÁMARA DE HORUS

NORMA
Editorial

RESUMEN DE LA PRIMERA PARTE

El profesor Ahmed Rassim Bey, director del Servicio de Antigüedades de El Cairo, descubre un papiro del famoso historiador egipcio Manetón, cuya obra había permanecido perdida durante 2000 años, e invita a su amigo, el profesor Philip Mortimer, a ayudarle a descifrarlo. El papiro menciona la existencia, en las profundidades de la Gran Pirámide, de una cámara secreta, denominada la Cámara de Horus, que contiene el fabuloso tesoro funerario del faraón hereje Akhenatón. Mortimer decide descubrir dicha cámara.

Desgraciadamente, Abdul, el ayudante del profesor Ahmed, es el siniestro cómplice de una banda de traficantes internacionales de antigüedades, cuyo jefe no es otro que el célebre Coronel Olrik, aventurero audaz y célebre criminal. De inmediato se inicia una caza del tesoro. Gracias a los documentos robados por Abdul, los traficantes ganan ventaja, lo que provoca una serie de peripecias y aventuras, en el transcurso de las cuales Mortimer está a punto de caer en las manos de los bandidos, mientras la policía permanece impasible.

Llegado el momento, Mortimer decide llamar a su viejo amigo el capitán Francis Blake, miembro del servicio secreto británico. Inmediatamente el militar se pone en camino, pero en la escala que hace su avión en Atenas es abatido a tiros dentro de una cabina telefónica, y su cadáver desaparece misteriosamente. El profesor Mortimer, ayudado por su fiel sirviente Nasir, jura vengarse. En el momento de iniciarse este segundo tomo, han transcurrido ocho días desde la trágica muerte del capitán Blake. Mortimer ha intentado, en vano, recuperar la pista de Olrik, a quien supone responsable del crimen, y está a punto de acudir a la casa del Doctor Grossgrabenstein, personaje singular y egiptólogo original...

Colección Blake y Mortimer nº2.
EL MISTERIO DE LA GRAN PIRÁMIDE TOMO 2.- LA CÁMARA DE HORUS.
Título original: "Le Mystère de la Grande Pyramide tome 2.- La Chambre d'Horus", de E.P.Jacobs.
Tercera edición: septiembre 2010.

Passeig de Sant Joan 7 - 08010 Barcelona.
Tel.: 93 303 68 20 - Fax: 93 303 68 31.
E-mail: norma@normaeditorial.com
Color: Luce Daniels. Color de la portada: Philippe Biermé.
ISBN: 978-84-8431-093-8.
Printed in China

www.NormaEditorial.com
www.NormaEditorial.com/blog

El profesor Mortimer ha alquilado un coche y se dirige hacia el chalet del doctor Grossgrabenstein.
Calle Ebn Baril... Aquí es.

Dejando la carretera de Gizeh, se introduce en una estrecha avenida rodeada de jardines...

Y unos instantes después, se detiene ante la casa del doctor, cuya entrada está protegida por una pesada puerta de madera.

Un criado de mirada escrutadora abre.
Soy el profesor Mortimer...
Lo sé, effendi, mi señor le espera en la terraza...

Al ver a Mortimer Avanzar a través del jardín, el doctor, visiblemente agitado, viene a su encuentro...
¡Sea bienvenido, querido amigo!

¡Me siento tan afectado! No había leído los periódicos últimamente, y hoy me encuentro en la primera página la terrible noticia de que han asesinado al capitán Blake... ¡Es horroroso! Pero dígame, ¿ha sido confirmada la noticia?
Lamentablemente, sí...

¿Y el cuerpo? ¿Qué ha pasado con su cuerpo?
No sé absolutamente nada... Y Scotland Yard tampoco... Es un extraño misterio...

¡Oh! ¡Cuánto lo siento!... Me doy cuenta de que quizás no es este el mejor momento para ver una colección. Tal vez sería mejor...
No, no, es mejor que tenga la mente ocupada.

Así se habla. En su lugar yo haría lo mismo. Venga conmigo, querido amigo...

Y mientras Mortimer recorre el chalet en compañía del doctor, en un rincón del jardín se inicia un conciliábulo muy particular...
¡Están ahí arriba! ¡Ah! Casi no puedo contenerme...
Tranquilo, recuerda las órdenes del jefe: no hay que tomar ninguna iniciativa... como la de esta mañana, por ejemplo.

El infatigable doctor prosigue la visita...
...y aquí tiene una máscara de Akenatón...
¡Es magnífica!

Verdaderamente, doctor, es la colección privada más interesante que he visto en mi vida.
Pues aún no ha visto usted nada. He reconstruido una antigua mastaba y he reunido mis mejores piezas. Venga...

Instantes más tarde, Grossgrabenstein, seguido de Mortimer, baja la escalera que conduce al sótano...
¡Cuidado con el techo!

Fíjese qué silencio reina aquí...

...Y se detiene ante una maciza puerta de hierro.
¡Qué oscuridad!
¡Es para dar más ambiente!...

Pero en ese momento...
RING
RING
¿Quién vendrá a molestarnos precisamente ahora?

¡Mustafá! ¡Envíalos a paseo! ¡No estoy para nadie! ¿Me entiendes? ¡Para nadie!
De acuerdo, señor, cuente conmigo...

Discúlpeme ese pronto, pero detesto que me molesten cuando estoy aquí... Supone turbar esta atmósfera de recogimiento...

El doctor maneja la cerradura y la puerta, al abrirse, descubre una sólida reja que impide la entrada...
¿Qué me dice?
¡Caramba! ¡Cuántas precauciones!

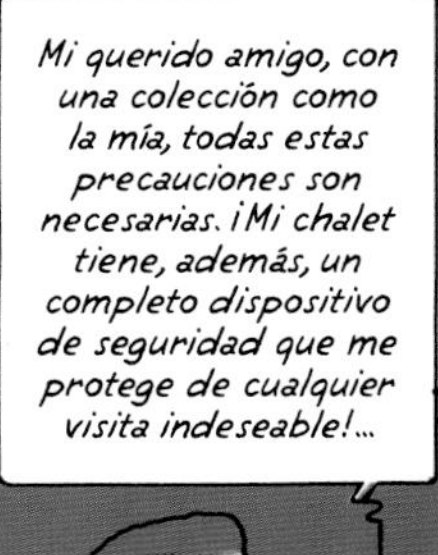
Mi querido amigo, con una colección como la mía, todas estas precauciones son necesarias. ¡Mi chalet tiene, además, un completo dispositivo de seguridad que me protege de cualquier visita indeseable!...

Mientras tanto, en la entrada del chalet, un enorme camión acaba de detenerse detrás del coche de Mortimer...
Pero bueno, ¿qué pasa? ¿Están sordos los de ahí dentro?
¡Insiste!

¿Qué sucede?
¡Su dichoso coche nos impide el paso!

El doctor ha abierto la reja de la mastaba...
¡Pero si no se ve absolutamente nada!
No olvide que estamos en la cámara de los muertos, ¡Ja! ¡Ja! ¡Ja! Pase, pase...

Pero la voz de Mustafá se hace oír desde lo alto de la escalera.
Señor, el coche del profesor interrumpe la circulación y los hombres del camión insisten para que...
Donnerwetter!
¡Maldición!

¡En semejante momento! ¡Cuánto lo siento!
No se preocupe. Enseguida vuelvo...
¡Ah! ¡Por fin!...
Un segundo, por favor...

Mortimer se mete en el coche y se queda inmóvil.
?

...Puesto que acaba de ver, sujeta al volante, una breve nota redactada en árabe.

"BALEK"... "Cuidado"... ¡Por todos los santos! ¿Qué significa esto?

Pero los hombres del camión se impacientan.
¡Vamos! ¡Es para hoy!

Mortimer efectúa rápidamente la maniobra.

El profesor se siente inquieto por el misterioso mensaje.
Es el segundo aviso que recibo hoy... ¿Estaré en peligro aquí?... ¡Es absurdo!

En ese instante ve por el retrovisor a Mustafá hacer un extraño gesto a alguien que no ve...

¿Será una señal?... ¡Qué cosas más raras hace toda esta gente! ¡O será que yo tengo demasiada imaginación!

Pero la voz de Grossgrabenstein le saca de sus reflexiones.
Ha hecho usted muy bien metiendo el coche... Vamos, venga, la cámara de los muertos nos espera.
!

Mortimer toma una rápida decisión y contesta...
Es que... No sabía que fuera tan tarde... y no me gusta conducir en la oscuridad.
Ach so!

Lo siento... Si usted me lo permite, otro día visitaremos la mastaba...

¡Lástima!... En fin, como usted quiera...

Tras despedirse, el profesor se dirige hacia la salida.
¡Ahí vuelve!

Y mientras baja por el camino, ve de repente a Sharkey al acecho entre unos matorrales y mirándole ferozmente.
¡Vaya! ¡Si aquí está nuestro campeón de boxeo! Y bien, muchacho, ¿sigue usted practicando ese "noble deporte"?... ¿O prefiere tirar piedras?

Damned! I'll break your neck! (1)

Enfurecido, Sharkey salta hacia delante, pero su pie se enreda con una raíz y cae al suelo, mientras Mortimer se aleja tranquilamente.

Y al intentar levantarse, una voz sarcástica le hace girar la cabeza.
Y bien, señor Sharkey, ¿busca usted algo?
?

(1) Voy a romperle el cuello.

En el Mena House, aquella misma noche, después de cenar...
Voy a dar una vuelta. Volveré dentro de una hora.
Que se lo pase bien, sahib.

Caminando en la noche, Mortimer piensa en los acontecimientos del día.
Tengo la sensación de que algo se está tramando... Ese tipo tan raro, Sharkey, al acecho en el jardín... Los gestos cautelosos de Mustafá... Y esa misteriosa nota... Marchándome tan bruscamente, tal vez reaccioné de forma muy impulsiva... Pero la verdad es que el doctor estaba sacándome de quicio con su " cámara de los muertos"...

En ese momento, una alta silueta se alza ante él.
!
La paz sea contigo, effendi...

Y contigo... Pero, ¿no es a ti a quien amenazaba el wekil esta mañana?
Sí. Mi nombre es jeque Abdel Razek... Quería darte las gracias por tu valeroso gesto...

Oh, no. Hice lo que debía...
Tal vez, pero al obedecer a ese generoso sentimiento, has impedido que se perpetrase en mi persona un sacrilegio inexpiable.

¡Un sacrilegio! No comprendo...

No puedo darte más explicaciones. Pero permíteme ofrecerte un consejo: desconfía de la gente de la mastaba...

¿Qué quieres decir?
Que a esos viles profanadores de tumbas solo les mueven sórdidos intereses, y que los dioses en su irritación podrían castigarlos terriblemente algún día.

¿Qué estás diciendo? ¿Los dioses irritados?... ¡Vamos, vamos!
Sí, ya sé. Vosotros, los hombres de Occidente, no creéis en las fuerzas invisibles...

...Sin embargo, a pesar de tu escepticismo, me gustaría hacer algo por ti... Toma este talismán: esta envoltura de cuero contiene un viejo papiro que lleva dos sílabas mágicas... En él se ha escrito tu nombre, por lo cual solo podrá servirte a ti. Llévalo siempre contigo. Si alguna criatura viviente te amenazase, pronuncia cuatro veces y con toda la fuerza de tu voluntad "Por Horus, permanece..." ¡Eso es todo!

Y ahora voy a dejarte... Que la noche te sea favorable, profesor Mortimer...
¡Y a ti también, jeque Andel Razek!

¡Qué extraño personaje! Es el digno colofón de un día memorable...

Antes de acostarse, Mortimer examina una vez más el extraño talismán.
Es ridículo, pero ese hombre hablaba con tanta autoridad que casi podría creerlo. Estos orientales, con su magia, son capaces de ponerle a uno la cabeza del revés... ¡Bah! Wait and see!

Y mientras Mortimer se duerme apaciblemente...

Media hora después...
¿El Sabih no desea nada más?...
No, Nasir, puedes acostarte...

...una sombra inquietante se desliza en silencio por el tejado del Mena House...

Súbitamente, y como obedeciendo a una señal del subconsciente, Mortimer se despierta inquieto...

En el silencio le parece oír el sonido de una pesada respiración...
Con todos los sentidos alerta, observa la habitación alumbrada por la luna y de repente...
!

...en un rectángulo de luz que se recorta en el suelo, ve el largo cuerpo sinuoso de una cobra...

Sin posibilidad de escapatoria, Mortimer permanece fascinado por el pánico de la horrible aparición.
My God!!!...

Si me muevo, si grito, estoy perdido... ¡Ah! Mi pistola...

Lentamente, extiende el brazo hacia la mesita de noche.

...Pero se da cuenta con horror de que el cajón está vacío...

¡Maldición! Olvidé que Nasir la cogió para limpiarla...

Mortimer ve cómo el reptil se endereza silbando y se cree perdido...

...cuando sus dedos, de repente, tocan el talismán que había depositado sobre la mesita...

Lo toma, y suavemente, con infinitas precauciones, se lo acerca hacia sí bajo la siniestra mirada de la cobra.
No tengo otra alternativa...

Y en el momento en que la cobra, irritada por todos esos movimientos, se dispone a saltar...

...el profesor, haciendo acopio de valor, blande el talismán y lanza con voz fuerte el conjuro mágico.
¡¡¡Por Horus, permanece!!!...

Nasir, ocupado en limpiar las armas de Mortimer, oye de repente a este repitiendo el conjuro.
...permanece... ¡Por Horus, permanece!...
?

Comprendiendo que algo extraño ocurre, se levanta rápidamente, se precipita en la habitación del profesor, da la luz, y...
!
...se queda estupefacto ante el alucinante espectáculo de la cobra erguida inmóvil frente al talismán que Mortimer sostiene ante ella.

Pero Nasir reacciona y con la culata del fusil destroza la nuca del reptil, que se desploma sobre la alfombra...

¡Una cobra!... ¡Por Alá!
Sí, pero no lo sabes todo. Sin este...

Un ligero ruido procedente del balcón interrumpe sus palabras...
¡Hay alguien ahí!

Nasir se lanza...
...pero al llegar a la puerta del balcón, su pie tropieza con una cesta similar a las utilizadas por los encantadores de serpientes que alguien ha dejado ahí, abandonada...

Pierde el equilibrio, cae hacia delante, y salva su vida, pues en ese mismo instante...
...un puñal le roza el hombro y queda clavado en el marco del balcón.

¡Allí, en el tejado!... ¡Un hombre!...
¡Corre!... ¡Atrápalo!

Pero cuando Nasir llega al tejado no encuentra a nadie...
Ha desaparecido. ¡Ah! Una trampilla...

Va hacia ella, pero en ese momento llega Mortimer...
Ha huido por aquí... ¿Vamos detrás?
Es inútil. Seguro que el bandido tenía algún cómplice y en estos momentos deben de haber desaparecido...

En fin, lo importante es que ha errado el golpe. Puedes dar gracias a tu tropiezo, si no este puñal...
¿Este puñal? Pero... ¿qué veo? ¡Es un arma del Turkeber!

...¿Pero entonces?... El hombre era...
...el Bezendjas... El amigo de Olrik persevera en sus ideas, Nasir...

Al día siguiente, después de la siesta...
Investiga con discreción entre el personal e intenta descubrir al cómplice del Bezendjas...
El sahib puede contar con su sirviente...

En cuanto a mí, voy a echar un vistazo por la mastaba. Tal vez allí encuentre a ese famoso jeque del talismán. Esa historia de la cobra encantada me intriga mucho.
Hasta pronto, sahib, y que Alá le ayude...

Al llegar a la proximidad de las instalaciones, Mortimer, sorprendido, descubre a los obreros abandonando el lugar en desbandada...
¡Vaya! ¿Qué debe de ocurrir?

Intrigado, el profesor se lanza al encuentro de un grupo en el que reconoce a Rais...
¿Qué ha pasado? ¿Ha habido un accidente?

Ya Salam! No, effendi, tratarse de otra cosa. El genio de la mastaba estar enfadado, muy enfadado... Ya nadie querer trabajar aquí, en lugar maldito. No, ya nadie...

¿Qué quieres decir? ¡Vamos, explícate!
Ocurrir cosas horribles, effendi. Nosotros oír voces y ruidos misteriosos en el subterráneo, y también ver señales de fuego en las paredes...

Sí, effendi. El jeque haber bien dicho que el genio un día vengarse. Pero el jefe no querer escuchar.
¿De qué jeque me hablas?

Del jeque Andel Razek. Effendi, él interceder por mí contra wekil Sharkey. Wekil entonces querer golpear, pero tú proteger al jeque.
¡Dios mío! ¿Y qué dice el wekil de todo esto?
¡Oh! Él estar en cólera, entonces él ir a buscar al jeque a Nazlet-el-Samman...
¡Diablos! Con un tipo como Sharkey es de esperar lo peor. Voy allí rápidamente. ¿Cómo puedo llegar antes al pueblo?

Si quieres, Abbas puede guiarte, effendi...
All right! ¡En marcha, el tiempo corre!

Abbas lleva a Mortimer por un atajo al pueblo de Nazlet-el-Samman...

Pero, apenas entran en el pueblo, se topan con un grupo de gente muy agitada...
Esta es la casa del jeque, effendi, pero...

Pareciendo entender el significado de aquel desorden, Mortimer corre hacia la casa de donde proceden gritos de voces furiosas...
¡Mientras pueda llegar a tiempo...!

Ayudándose con los codos, Mortimer se abre rápidamente paso entre la gente...
Balek! ¡Déjenme pasar!...

...Y penetrando en el jardín que rodea la casa, se precipita hacia la puerta de entrada.
¿Vas a hablar? ¿O prefieres que te curta a base de latigazos?

El profesor empuja la puerta y ve a Abdul Razek sentado, grave y digno, mientras Sharkey, rabioso, le amenaza con el látigo.
Sigues sin querer hablar, ¿no?

Escucha bien lo que voy a decirte, pedazo de mula: al primer truco de brujo que se produzca en la cantera, te juro que...
¿Y qué podrías hacer tú, pobre mortal, contra el alma irritada de Tanitkara?

¡Ja! ¡Ja! ¡Ja! Permíteme que me ría, viejo farsante. El alma de Tanitkara no tiene nada que ver en este asunto. Eres tú quien lo hace, y no otros.

Has liberado unas fuerzas que a partir de hoy nada ni nadie podrán dominar. Solo hay una posibilidad de salvación: la huida...

Sintiendo que no va a obtener nada con amenazas, Sharkey cambia de táctica.
Bueno, bueno, comprendo. Lo que ocurre es que eres un pillo y ya veo por dónde vas...

Pero yo soy un buen jugador, y además siempre es posible llegar a un acuerdo entre gente razonable... Toma, coge estas cien libras, vieja momia, y pongamos punto final a esta historia.

Y Sharkey lanza un fajo de billetes sobre la mesita cubierta de extraños signos.
¡Toma!

Pero en el instante en que el fajo toca la mesita, el jeque extiende su mano y los billetes comienzan a arder, originando una enorme llamarada.
DAMNED!

Una sofocante humareda se levanta súbitamente, forzando al Wekil a batirse en retirada.
¡Es cosa de diablos!

Sharkey, tan estupefacto como aterrorizado, se precipita hacia fuera...
?

Y en la calle ha de echar a correr para no ser lapidado por los furiosos habitantes del lugar...
¡Me las pagaréis!

Entretanto, en la casa, la humareda se ha disipado como por arte de magia y Mortimer, aturdido, oye alzarse la grave voz del jeque.
Sé bienvenido a mi humilde morada...

La paz sea contigo, jeque. Veo que esta vez no has tenido necesidad de mí para deshacerte de ese animal.
¡En efecto! Sin embargo, te agradezco tus buenas intenciones. Ese hombre cede fácilmente a la cólera. Pero no es más que un niño... Toma asiento.

Justamente quería hablarte del talismán que me diste y al que probablemente debo la vida. Esta noche, una cobra entró en mi habitación...
Sí, lo sé, y estoy contento de que mi arte te haya sido de alguna utilidad. Algunas personas de la mastaba parecen no apreciarte, profesor.

Es cierto. En particular ese al que acabas de echar de forma tan sorprendente. Pero dime... Los fenómenos misteriosos que han vaciado la cantera del doctor Grossgrabenstein, ¿se deben a tu poder?
¿Quién sabría prever dónde se detendrán las fuerzas ocultas puestas en movimiento?

¡Vaya! Todo esto no está muy claro. ¿He de deducir que te opones a las excavaciones arqueológicas?
Mi opinión personal no tiene ningún peso en este asunto, pero quienes por ignorancia o por afán de lucro profanan "determinadas" tumbas, deben asumir los riesgos, profesor.

Luego, cambiando bruscamente de tono, el jeque dice...
Hay alguien detrás de la puerta...
¿Qué?

El profesor se dirige de puntillas hacia la puerta...

...y abriéndola bruscamente se topa cara a cara con Abbas, el obrero de la cantera de Grossgrabenstein.
¿Tú? ¿Qué haces aquí?
¿Yo? Nada, effendi... Esperaba tus órdenes...

Ya no te necesito... Toma esto y vete...
Mubachaker, effendi! ¡Que la bendición de Alá sea contigo!...

By Jove, tienes el don de ver más allá, o de lo contrario no entiendo nada, y...

Pero mientras cierra la puerta, su mirada se fija en un punto de la pared...
¡Caramba!
¿Qué estás mirando?

En un lugar donde el revoque ha caído, el profesor acaba de ver un jeroglífico esculpido.

¡Ese signo!... ¿Tu casa está construida con material antiguo?
Como tú mismo puedes ver, en Egipto el pasado y el presente se mezclan estrechamente...

Sí, olvidaba que NAZET-EL-SAMMAN se construyó, en parte, sobre la rampa de acceso que unía antiguamente la Gran Pirámide a su templo...
Sí, todo el mundo lo sabe...

Por supuesto, pero lo que no se sabe es si existe o no en la Gran Pirámide una cámara secreta, y un camino para acceder a ella. En las investigaciones realizadas hasta la fecha no se ha descubierto nada... Pero tal vez tú sepas algo de esto, Abdel Razek...

Si es cierto que existe tal cámara, y si alguien llega a ella algún día, solo podrá ser "POR EL CAMINO DEL INICIADO"...
¿Cómo?

Al escuchar al jeque Andel Razek repetir textualmente una frase del famoso papiro de Manetón, Mortimer, pasada la primera sorpresa, lo acosa a preguntas...
¿Has dicho "por el camino del iniciado"? ¿Qué significa esa frase?... ¿Cómo la sabes?... ¡Dime!
He dicho lo que he dicho...

Pero explícame por qué...
Discúlpame, pero tenemos que separarnos. Es la hora de la plegaria...
Unos instantes después, tras despedirse del jeque, Mortimer se encuentra en las callejas de Nazlet-el-Samman...
¡Caramba!

Perdido en sus reflexiones, sube lentamente hacia el llano de Gizeh...
"Por el camino del iniciado"... Es el mismo comienzo del texto que Ahmed descifró en el último fragmento del papiro descubierto en el cartonaje. Texto que, no lo olvidemos, dejaba entrever la existencia de un pasadizo secreto por el que el enviado de Atón iría hasta la cámara de Horus, para recuperar el Disco de oro, símbolo del Culto...

Pero aun suponiendo que Andel Razek supiera algo y quisiera embrollar las investigaciones, ¿por qué diablos insiste en la mastaba cuando todo hace suponer que esa cámara se encuentra en la Gran Pirámide?...

...Y sus pasos lo llevan hasta la cantera desierta de Grossgrabenstein.
¡Qué extraño resulta todo esto!

Pero de repente, ve dos siluetas furtivas al otro extremo de la zanja...
?

Sorprendido, el profesor se aproxima, pero...
¿Dónde pueden haberse metido?

Cada vez más intrigado, llega al fondo de la zanja...
No hay duda. Han debido de bajar aquí. ¡Vaya momento para visitar una tumba! Tal vez sea el doctor... Vamos a ver.

Tras descender por la escalera, Mortimer enciende su mechero.
No se oye nada.

...luego, a la luz vacilante de la llama, penetra en las cámaras de la mastaba, donde reina un terrible silencio...

...de este modo llega a la antecámara que marca la última etapa de las excavaciones.
Nadie. ¡Qué raro!

¡Ah! Queda el camino de los ladrones...

Y se introduce por la inquietante abertura...
¡Quiero saber qué pasa!

Tras avanzar con dificultades unos cien metros a lo largo del estrecho pasadizo, Mortimer se detiene de repente...
Damned!

Cuando llega al extremo del pasadizo, Mortimer desemboca en una especie de reducto rocoso, medio en ruinas.
¡Un callejón sin salida!

Pero, ¿dónde han podido meterse?... ¿Habré olvidado alguna otra cámara? La verdad es que con el alumbrado que llevo no sería de extrañar. En fin, regresemos a la salida...

Y tras explorar en vano la mastaba hasta en sus más pequeños rincones, Mortimer sale al aire libre.
¡No entiendo nada!

Sin embargo, antes no vi visiones... Y si están ahí dentro, por fuerza tendrán que salir. Montaré guardia...

El profesor, tras ponerse al acecho, espera. Poco a poco las horas van pasando. Cansado, comienza a pensar en desistir...

...cuando de repente ve las dos sombras emerger del pozo...

...dirigiéndose entonces hacia la zona de acceso...
¡Qué trabajo más duro, jefe!
¡Bah! ¡Pronto acabaremos!

Mortimer reconoce de inmediato las voces...
¡Olrik!... ¡Con Sharkey!... ¡Demasiada coincidencia!

Pero en ese preciso instante, a pocos pasos de allí, una piedra empieza a rodar con estrépito...

...haciendo que los tres hombres se sobresalten...
?
?
?

Damned! ¿Qué es eso?
¡Qué importa! ¡Larguémonos!

Y los dos bandidos se apresuran a marcharse...
Pero, apenas ha dado unas cuantas zancadas, choca con violencia con un hombre agachado y...
...da una voltereta por encima de él.
A la vista de ello, Mortimer se levanta y se lanza en su persecución...
...y mientras se debate por desasirse, de repente ve el rostro del hombre.
¿Tú?

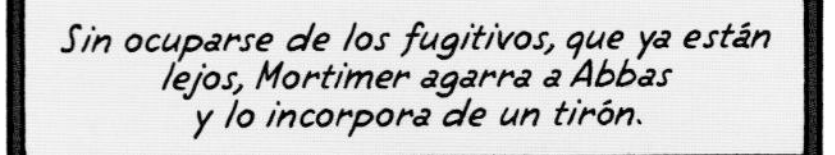
Sin ocuparse de los fugitivos, que ya están lejos, Mortimer agarra a Abbas y lo incorpora de un tirón.

¿Qué hacías aquí?... Me estabas espiando, ¿no? ¡Vamos, contesta!

Piedad, effendi. No he hecho nada. Te explicaré.
Vamos, date prisa. Y no intentes nada...

Verás, effendi. Cuando volví del pueblo, estaba muy cansado y me tumbé para dormir un poco.
Y por supuesto, no viste entrar en la mastaba a los dos hombres.

Yo no vi a nadie, effendi. Yo estaba dormido.
¡Basta! ¡Estás mintiendo!... ¡Pero bueno, lárgate!... ¡Y cuidado con lo que haces! ¡A partir de ahora te vigilaré!

Y mientras el profesor regresa al Mena House, un Lincoln negro circula a toda velocidad por la carretera de Gizeh...

De camino, Mortimer pasa revista a los últimos acontecimientos.

La historia de Abbas no tiene ni pies ni cabeza. Vaya casualidad que se encontrara allí, justo para impedirme perseguir a esos canallas. Por otra parte, el hecho de que Sharkey estuviera con Olrik me lleva a pensar que Grossgrabenstein posiblemente tenga también algo que ver en todo este asunto. Pero esto último me parece poco probable.

Los primeros resplandores del alba iluminan la antigua necrópolis cuando Mortimer llega al hotel.

¡Nasir!... ¿Cómo, ya estás levantado?
Le he estado esperando toda la noche, sahib.

¿Ha ocurrido algo?

Sí, y por eso estaba yo tan inquieto.

Ayer noche, cuando cruzaba el jardín, oí a dos hombres conversar en un lugar un tanto apartado. La voz de uno de ellos me resultó como familiar. Me acerqué con prudencia y vi a Razul, el Bezendjas, hablando con un camarero del hotel cuya cara no pude ver.

¡Oh! ¿Y pudiste oír lo que decían?

En un momento determinado el Bezendjas habló bastante fuerte y oí que le decía: "Ese barbudo está molestando demasiado. Ya es hora de que...", pero debieron de notar algún ruido, porque se separaron bruscamente.

¿Y bien?

¿En qué lugar de la calle ocurrió?

En la esquina de Sharia-El-Gizeh y de Sharia Ebn Bakil.

¿Cómo?... ¿La calle EBN BAKIL? ¡Pero si es ahí donde vive el doctor!

Nasir, tengo la impresión de que estamos de lleno sobre la pista. Olrik, Sharkey, el Bezendjas, los tres giran alrededor de Grossgrabenstein... ¿Y de repente el "barbudo" comienza a molestar?... Seguro que están tramando algo contra él. Es necesario que prevenga al doctor. Todavía es pronto, pero no importa. Voy a telefonearle.

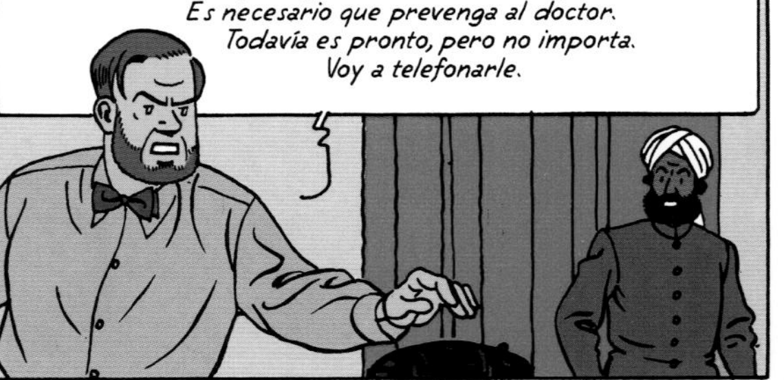

Seguí a Razul. Siempre detrás de él, subí en el autobús de El Cairo. Pero debía de estar prevenido, porque aprovechó una parada para bajar precipitadamente. Cuando pude hacer lo mismo, vi que corría a lo largo de la avenida. Y de repente desapareció.

Al cabo de unos instantes...

Soy el profesor Mortimer... ¡Páseme al doctor! ¡Es urgente!...

¡Oiga! ¿Es usted, doctor?... Soy Mortimer. Siento despertarlo, pero se trata de algo muy importante y querría verle enseguida.

Pero veamos, ¿de qué se trata?... ¡Explíquese! ¿Cómo? ¿Imposible por teléfono?... ¿Por la mañana?... Lo siento muchísimo, pero tengo una cita con un experto en relación con un ushebti de la XVIII dinastía que... Bitte?... ¿Esta tarde?... Lo siento, espero a mi proveedor de momias... ¿Perdón?... ¿Cómo dice?...

Digo que es una lástima. En fin... usted mismo. Sí, esta noche a las nueve. Pero hasta esta hora sea usted prudente y sobre todo, no reciba a ningún desconocido. Por el momento no puedo decirle nada más. ¡Hasta esta noche!

¡Qué hombre ese!... Posiblemente su vida esté en peligro y solo piensa en sus momias. ¡Ojalá no le ocurra nada!... Voy a acostarme, a ver si me recupero un poco.

Ese mismo día, al anochecer, Mortimer, fresco y dispuesto, acaba ciertos preparativos...
..."A la atención del comisario Kamal" ...¡Bueno, esto ya está hecho!

Vamos a verificar esta pistola. Uno nunca sabe...

Nasir, ven aquí... Tengo que hablar contigo.
Sí, sahib.

Escúchame bien... Los acontecimientos de estos últimos días me llevan a suponer que el desenlace está próximo. Ahora bien, como nos es imposible saber dónde y cuándo van a actuar nuestros adversarios, es mejor que preveamos lo peor... Por lo tanto, he consignado en esta carta todo lo que me han revelado hasta hoy mis propias investigaciones. Consérvala con sumo cuidado.
Bien, sahib.

Voy a ir a casa del doctor Grossgrabenstein. Si a medianoche no estoy de vuelta, dale inmediatamente esta carta al comisario Kamal. ¿De acuerdo?
Sí, sahib.

Desde el balcón contiguo, Mussa no se ha perdido ni una sola palabra de la conversación.

Ya es de noche cuando el profesor entra en la propiedad de la calle Ebn Bakil.

El doctor le ruega que le espere en el salón, effendi. Está instalando su nueva adquisición en la mastaba.
De acuerdo.
Y un momento después, el coche de Mortimer se detiene ante el chalet.

El profesor se dispone a subir cuando la luz de los faros ilumina en el suelo algo que le llama la atención...
?

Mortimer acaba de ver en la arena del camino, claramente impresas, las marcas de las ruedas de un coche.

¡Vaya! Parecen muy recientes... Y se dirigen hacia el garaje. El cacharro de Grossgrabenstein no puede haber dejado semejantes marcas...

Llevado por la curiosidad, Mortimer entreabre ligeramente una de las puertas del garaje y...

Sorprendido, distingue en la penumbra un reluciente coche negro.
?

By Jove! ¡Parece un Lincoln! Me acercaré...

Pero, en el momento en que Mortimer va a entrar en el garaje, una recia voz lo detiene en el umbral...
Ach! ¡Querido amigo! ¡Ya está usted aquí! Pero, ¿qué diablos hace usted ahí? Le estaba buscando por todas partes.

No, no me diga usted nada, Seguro que estaba buscando el cacharro de este viejo loco de Grossgrabenstein para reírse un rato, ¿verdad? ¡Ja! ¡Ja! ¡Ja! ¡Vamos, confiéselo!...
¿Yo?... Pues... sí. Pero me ha sorprendido no verlo... ¿Lo ha vendido?

Was?... ¿Vendido? Usted bromea... Lo cierto es que ha tenido una pequeña avería, nada importante, y el mecánico insistió en prestarme ese coche, mientras tanto... Pero ya está bien de charla. ¡Venga conmigo!

Un momento después, en el salón, Mientras el doctor abre una botella de whisky, Mortimer, incómodo y preocupado, medita sobre el curioso descubrimiento.
¿Y bien?... ¿Y esa terrible historia que tenía que contarme, de qué se trata?

Pues verá, soy consciente de que lo que voy a decirle le parecerá increíble. Pero yo estoy convencido de ello. Tengo la clara impresión de que está usted rodeado de una banda de peligrosos malhechores que le utilizan para camuflar sus actividades criminales.

¿Cómo? ¿Qué está usted diciendo? ¿Yo, Herr Grossgrabenstein, víctima de una banda de ladrones? ¡Ja! ¡Ja! ¡Ja! ¡Vamos, vamos, mi querido amigo, seamos serios!

Piense lo que quiera. Pero le diré que esta misma noche he visto a su wekil Sharkey en compañía del peor bandido que jamás haya existido.

¿Sharkey? ¿Un bandido? ¡Ja! ¡Ja! ¡Ja! A eso se le llama humor inglés. ¡Vamos! Beba en lugar de contarme esas historias de bandidos.
No, gracias, no me apetece beber esta noche...

Y Mortimer, con un movimiento de mal humor, rechaza tan bruscamente el vaso que le tiende el doctor que...
¡POR TODOS LOS DIABLOS!

Al oír esa exclamación de sorpresa, desprovista de acento, Mortimer identifica inmediatamente la verdadera voz de su interlocutor...

...y saltando al momento...
!!!
¡¡¡Usted!!!

...le propina un buen puñetazo con la diestra...

...que lo envía al suelo, a él y a su asiento...

Trabado en el suelo el hombre intenta incorporarse y ante los ojos de Mortimer aparece el rostro crispado de rabia de Olrik.
Así pues, el honorable doctor y ese canalla de Olrik no eran más que una sola y misma persona...

¡Por todos los diablos del infierno, su triunfo será corto, Mortimer!

Pero, más rápido que el bandido, el profesor ha sacado su pistola y...

...de un balazo hace saltar el arma de las manos de Olrik.
¡¡Ay!!
PAN

¡A mí! ¡Ayuda!

Sin perder su sangre fría, Mortimer apunta inmediatamente a la única lámpara que ilumina el salón y...
PAN

...de repente, se hace la oscuridad, opaca, impenetrable...
¡Hasta pronto, Olrik!
¡Cuidado! ¡Ha apagado la luz!

En ese instante la puerta se abre con estrépito y Sharkey y sus secuaces irrumpen en la habitación...
¡Ya estamos aquí, jefe!

Su ímpetu es tal que tropiezan con un sillón colocado por Mortimer...
!?

...quien, saliendo de detrás de la puerta, donde se había escondido...

...se lanza al vestíbulo y encierra con llave a Olrik y a su banda...
¡Asunto concluido!

Mientras tanto, en el salón oscuro, el desorden es indescriptible.
¡Ya es mío...!
¡Toma!
¡Ay!
¡Humpf!
¡Encaja esto!
¡Dejadme, imbéciles, soy yo, Olrik!

¡Rompeos la cara ahí dentro!
Pero, de repente, la luz se enciende...
DAMNED!

Es mustafá, que acaba de irrumpir en el vestíbulo y lo amenaza, empuñando un puñal...
¡Peor para él! ¡Tendré que pegarle un tiro en la pierna!
!

¡Vaya! ¡Está encasquillada! ¡Ah, la ventana!

Mustafá se lanza levantando el puñal, pero Mortimer, con un rápido gesto...

...le arroja violentamente su arma inútil a la cara.
¡Ay!

Titubeando a causa del golpe recibido, Mustafá se apoya con el codo en el interruptor que controla el dispositivo de seguridad del vestíbulo.

...y de repente, una plancha de acero se abate ante la ventana, cortando cualquier salida por ese lado...
?
CLAC

¡La puerta del jardín! ¡Deprisa!

Pero en el momento en que pone la mano sobre el pomo de la puerta, Mortimer recibe una impresionante descarga eléctrica que lo desploma al momento.
¡¡¡AYYY!!!

Las horas transcurren y cuando Mortimer vuelve en sí, constata que tiene los pies y las muñecas atadas, en un lugar extraño que supone debe ser la famosa mastaba de la calle Ebn Bakil. Adosado a un sarcófago, intenta en vano soltarse...

¡No tengo nada que hacer!... ¡Qué estúpido fui metiéndome en semejante berenjenal! ¡Y cómo no comprendí que el "barbudo molesto" era yo y no Grossgrabenstein!...

¿Qué hora puede ser?... ¡Menos mal que sigo teniendo el reloj!... Si llegara a ver la hora... ¡Ah!... ¡Son las doce y media de la noche!

BY JOVE! Eso quiere decir que la policía ya debe de estar al corriente y que en estos instantes es posible que Kamal esté en camino con la brigada móvil... ¡Qué gran idea tuve al...!

Pero en esos momentos, una especie de ulular quejumbroso acompañado de golpes sordos, cuyo origen no puede determinar, le llama la atención...
¿Qué debe pasar ahí fuera?

Pero no tiene mucho tiempo para profundizar en la cuestión, ya que la puerta se abre de repente y alguien es empujado con rudeza adentro...
?
¡Mortimer! ¡Una visita para usted!

Y el profesor, estupefacto, reconoce a Nasir, tan fuertemente atado como él...
¿Tú?
¡Sí, sahib, yo mismo!...

¿Pero... cómo?...
Cuando salí del Mena House a medianoche, para llevarle al comisario Kamal su mensaje, de repente me asaltaron por la espalda, me tiraron al suelo, me golpearon y me metieron en un coche que arrancó en seguida. Entre los...
Nasir quiere darle más detalles, pero en ese instante vuelve a oírse el quejido misterioso...
¡Calla! ¡Escucha!

Justo entonces la puerta se abre de nuevo y Olrik hace su entrada, seguido de Sharkey y del "hombre de las gafas" de siniestro recuerdo...
Y bien, querido profesor, ¿cómo se siente?...
Digamos que un tanto apretujado...

No sabe cuánto lamento haberle hecho esperar en esta situación tan poco cómoda, pero Mussa me advirtió que la policía iba a recibir un mensaje en caso de ausencia prolongada por su parte y, claro, por mi propia seguridad me vi obligado a apoderarme de ese documento comprometedor. ¡Ya lo conseguí! Bien, ahora voy a poder ocuparme de su bienestar...
El "señor doctor" es muy amable...

¡Ja! ¡Ja! ¡Ja! ¡Admita que estuve francamente bien en mi papel de egiptólogo distinguido!
¡Oh! Habría resultado usted un actor extraordinario y sin duda alguna hubiera sido menos funesto para mucha gente... A propósito, ¿qué piensa hacer con nosotros?...
Pues bien, mi querido amigo, he imaginado un medio de hacerle desaparecer cuya originalidad estoy convencido de que sabrá apreciar. Me explicaré: en primer lugar le administrarán una inyección que, sin dolor, le enviará a reunirse con su amigo Blake, tras lo cual lo vendaremos a la egipcia y lo colocaremos en un auténtico sarcófago. Imagínese la cara de sorpresa que pondrán los egiptólogos cuando algún día lo encuentren a usted...

Pero, de repente, en el marco de la puerta, aparece el Bezendjas, con el rostro contrariado...

¡Jefe! ¡Venga usted deprisa!...

Olrik, molesto, se acerca al Bezendjas...
¿Qué pasa ahora?...
Algo que no me ha gustado nada... ¡Acabo de ver sombras en el jardín!

¿Qué? ¿Estás seguro?
¡Totalmente!
De acuerdo... Subamos. Ya nos ocuparemos de ellos más tarde.

Excúseme un instante, profesor... ¡No tardaré en volver!
¡Tómese usted todo el tiempo que quiera, "doctor"!... ¡No tenemos prisa!

Los bandidos se deslizan por el salón oscuro, intentando ver las sombras del exterior...
¡Allí, jefe, cerca de ese árbol!
¡Ya veo!

¡Hay dos más cerca del garaje!
¡Diablos! ¡La policía! ¡Estamos rodeados!

Preparad las armas. Va a haber jaleo. Mustafá y Bezendjas, vigilad la parte posterior. Sharkey, tú vigilarás la parte delantera. Jack, saca la ametralladora y colócate en la puerta. Yo voy a bajar las planchas de acero y, antes de que logren abrirlas, ya habremos encontrado el medio de largarnos.
O.K.!

Olrik acciona la manivela de control general pero...

¡Demonios! ¡El dispositivo está bloqueado! ¿Qué significa esto, avería o sabotaje?
¿Pero quién ha podido?... ¡Voy a ver!...

Mientras tanto, en el parque, la policía se dispone a pasar a la acción...
Todo está listo, comisario. El chalet está rodeado y tan silencioso como una tumba. Parece estar abandonado.
No se fíe, Ismail. ¡Andando, y con los ojos abiertos!

Abandonando la protección de los árboles, los policías se aproximan con cautela.

¡Policía! ¡Abran!
BOUM
BOUM

Pero por respuesta reciben una ráfaga a través de la puerta. Una de las balas roza al comisario y hiere a uno de los policías...
TAC
TAC
TAC
WIZZZ

¿Has oído? Parece una ráfaga...
Sí, eso me ha parecido, sahib...

Los dos hombres llevan al herido y se repliegan con rapidez...

...protegidos por el fuego de los policías ocultos entre la arboleda.

Es inútil intentar hablar, comisario. Esos tipos parecen dispuestos a jugarse el todo por el todo...
Tienes toda la razón. Es mejor que empleemos también otros medios. Id corriendo al coche patrulla y poned en aviso a la división central...

¡Eh, jefe! ¿Los ha visto usted correr? Nada mejor que una buena ráfaga para dar más agilidad todavía a los más impetuosos...
¡Buen trabajo, Jack! Sigue atento. Yo voy a ver qué hacen los otros...

Mientras tanto, en el chalet, sobre el que pesa un silencio amenazante y en el que se está organizando la defensa, las cosas parecen ir mal. En efecto, al regreso de su rápida inspección, Olrik habla con Sharkey, visiblemente alarmado.
¡Jefe! El dispositivo de seguridad... Lo han saboteado y han cortado los cables...
Damned! ¿Quién ha podido hacerlo?... Es inútil pretender resistir en estas condiciones...
Desde su puesto de guardia, Jack lo llama de repente...
¡Jefe! Parece que se está preparando algo...

¿Queda claro? Tan pronto como el proyector entre en acción, estad atentos a la primera puerta o ventana que se abra y lanzad una bomba lacrimógena...
¡De acuerdo, jefe!...

Obedeciendo a la llamada de Jack, los dos bandidos se han colocado en su puesto de vigilancia y observan inquietos el jardín...
¡Me pregunto qué deben de estar tramando!

De repente, se enciende una luz cegadora y el foco luminoso de un proyector comienza a recorrer la fachada...
¡Allí! ¡Esa ventana!

¡Maldición! ¡Cerremos las persianas!

¡Demasiado tarde! El foco ilumina la ventana entreabierta del balcón y...
?

PLOF

En un instante, la habitación se llena de vapores picantes que obligan a los dos bandidos a batirse precipitadamente en retirada.

Sofocados, con los ojos inundados de lágrimas, se meten en el vestíbulo...
¡Cierra la puerta!... ¡Rápido!...

...Donde Jack se mantiene firme, metralleta en mano. Pero, de repente, llega Mustafá gesticulando...
¡Jefe! Vengo de parte del Bezendjas a decirle que nos estamos quedando sin municiones.
¡Estamos perdidos!
!

¡Todavía no! Se me ocurre un plan que no tengo tiempo de explicaros ahora. Necesitaré diez minutos. Apañaos para resistir aún diez minutos y os sacaré de esta. ¿De acuerdo?
¡De acuerdo, jefe! Lo intentaremos...
¡Bien, cada uno a su puesto!...

Tú, mientras tanto, baja a la mastaba y... ¡Liquídalos!...
¡Perfecto! ¡Va a ser un gran placer para mí! Justamente tengo un pequeño asunto pendiente con el barbudo.

Y mientras, en un esfuerzo supremo...

...la defensa intenta retrasar lo inevitable...
TAC
TAC
TAC

...Olrik sube de cuatro en cuatro los escalones al primer piso...
¡A ver qué tal sale!

Mientras tanto, Sharkey va dispuesto a realizar su siniestra tarea...

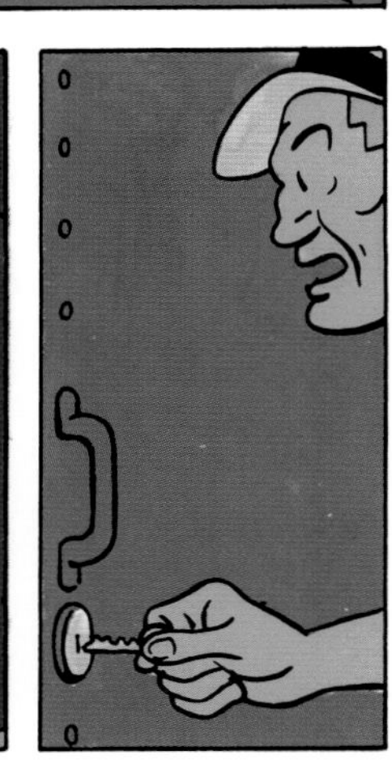

¡Hola, muchachos! ¡Se acabaron sus problemas! ¡Pónganse a rezar!...

El jefe me ha pedido que lo disculpen. Tiene unos asuntos pendientes que resolver. Pero, antes de mandarles al otro mundo, me ha encargado que les anuncie que dentro de veinticuatro horas el tesoro de Atón será nuestro.

Y ahora buen viaje, profesor... ¡Recuerdos al demonio!...
¡Haré que le reserven la mayor de las calderas para cuando llegue usted!...

Pero de repente...
?

Un hombre acaba de surgir providencialmente...
¡Suelta ese revólver!

...y Mortimer, estupefacto, lo reconoce...
¡Abbas!

?
¡El mismo, effendi!

Pero Sharkey se gira de repente, con un brusco codazo aparta el arma y...

...propina un violento derechazo a Abbas, que se tambalea.
...

El bandido agarra la porra y se abalanza sobre Abbas para liquidarlo, pero...
¡Ahora verás, gusano!

...este propina un violento puntapié al estómago de Sharkey y le hace retroceder...
¡Toma!

...tambaleando, con la respiración entrecortada. En ese preciso momento, Mortimer estira las piernas...

...y le hace perder el equilibrio. El hombre choca contra un cofre que sostiene...

...un pesado jarrón egipcio, el cual vacila a causa del golpe...

...y le cae en plena cabeza...
¡Ay!

... dejándolo fuera de combate.

Sin perder un segundo, Abbas se apresura a soltar a los prisioneros.
¡Gracias por la zancadilla, profesor!
¡Pero!... ¿Me explicarás por qué...?

Well! ¡Ya estaba harto de hacer el papelón, así es que...!
¡NO! ¡ES IMPOSIBLE!

¡USTED!
¡Sí, old fellow, capitán Francis Blake para servirle!...

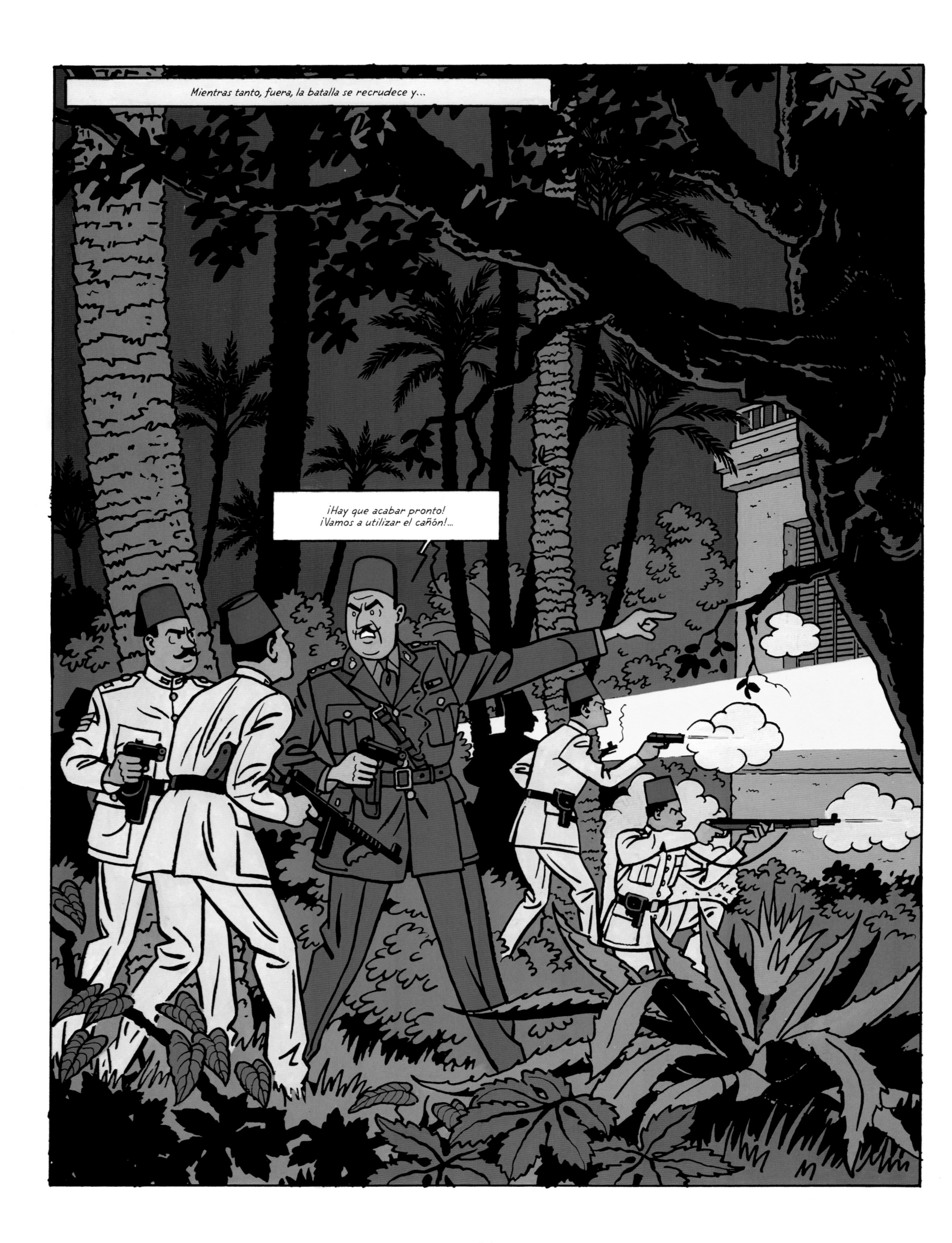
Mientras tanto, fuera, la batalla se recrudece y...
¡Hay que acabar pronto! ¡Vamos a utilizar el cañón!...

Mientras se desarrollan estos acontecimientos, Olrik se dispone a jugar su última carta...
¡Mientras esta maldita barba no se me caiga!...

Un instante después...
¡Comisario!... ¡Mire allí!... ¡El balcón!...
¡Cuidado!... ¡Tal vez sea una trampa!

Olrik acaba de aparecer en el balcón de la fachada lateral con un pañuelo blanco en la mano.
¡No disparen! ¡Ahora voy!

El bandido salta al jardín...

...y echa a correr hacia la arboleda donde se encuentra la policía...
¡No disparen!

Ya Salam! ¡El doctor Grossgrabenstein!
¡Comisario Kamal! ¡Por fin! Ach! Es horrible... Esos miserables me tienen secuestrado desde hace horas. Son cuatro y su jefe... un tal Olrik...

¿Olrik? ¿Está usted seguro?...
Ja! ¡Y eso no es todo! El profesor Mortimer y su sirviente también han caído en sus manos. ¡Y acabo de oír dar a Olrik la orden de ejecutarlos!...

...por favor... ¡Ah!
Se ha desmayado... Deprisa, métanlo en uno de esos coches...

Ante la noticia de que Mortimer está en peligro, Kamal da la orden de un asalto general...
¡Adelante!

Las balas silban y, de repente, una ráfaga deja a Jack, defensor de la puerta principal, fuera de combate...
¡¡Ay!!

En ese mismo instante, la puerta de servicio cede ante los furiosos golpes de los asaltantes...

Surgiendo de todos los lados, los policías encienden las luces y cargan contra los bandidos desamparados en el vestíbulo. Mustafá, alcanzado, cae en el pequeño estanque...
PAN
PAN
PAN

...mientras que Jack y el Bezendjas, acorralados en un rincón, se ven obligados a rendirse...
¡Arriba las manos!

El comisario se dirige inmediatamente a los bandidos.
¡Vamos, hablen! ¡Y basta de historias! ¿Dónde está su jefe?...
Allá arriba... creo...

¿Y el profesor Mortimer?
En el sótano... Encerrado en la mastaba...
¡Murad, registre ahí arriba y tráigame a ese Olrik vivo o muerto!... Nosotros, vayamos deprisa a la mastaba...

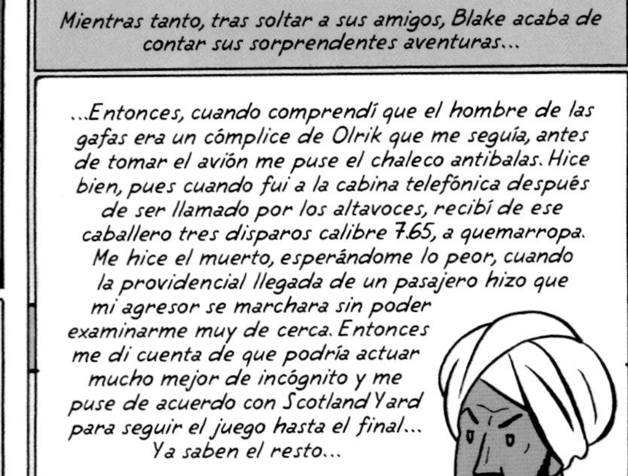
Mientras tanto, tras soltar a sus amigos, Blake acaba de contar sus sorprendentes aventuras...
...Entonces, cuando comprendí que el hombre de las gafas era un cómplice de Olrik que me seguía, antes de tomar el avión me puse el chaleco antibalas. Hice bien, pues cuando fui a la cabina telefónica después de ser llamado por los altavoces, recibí de ese caballero tres disparos calibre 7.65, a quemarropa. Me hice el muerto, esperándome lo peor, cuando la providencial llegada de un pasajero hizo que mi agresor se marchara sin poder examinarme muy de cerca. Entonces me di cuenta de que podría actuar mucho mejor de incógnito y me puse de acuerdo con Scotland Yard para seguir el juego hasta el final... Ya saben el resto...

¡Atención! Ahí llega Kamal... No descubran todavía mi identidad...
¡De acuerdo!

¡Profesor! Veo que sigue usted vivo...

...y espero que esta vez querrá usted reconocer la eficacia de nuestra policía, porque desde luego sin nosotros ustedes no...
Sin ustedes y sin este valiente muchacho que les llamó por teléfono...

¿Cómo?... ¿Así que fue este quien llamó?... ¿Pero quién es?
Abbas, un trabajador de la cantera de Grossgrabenstein a quien le hice un pequeño favor...

¡Vaya, vaya! Todo esto no me parece muy claro... ¿Cómo que se encuentra aquí, por qué no...?

Pero Murad entra precipitadamente...
¡Comisario! Lo hemos registrado todo y no hemos encontrado ni rastro...

¡Es imposible!... El doctor me afirmó que estaba aquí... Incluso...
?

¿Cómo? ¿Qué dice usted?... ¿El doctor?...
Sí, el doctor Grossgrabenstein. Después de lograr salir del chalet por la ventana me dijo...

¿Grossgrabenstein? ¡Por Dios! ¡Pero si era ÉL... OLRIK!
¿Cómo?... El doctor... No, no...

Debo de estar soñando... Grossgrabenstein era... ¡Olrik! ¡Olrik! ¡OLRIK!

Pero en ese momento, el misterioso quejido vuelve a oírse...
HOUHOUHOUHOUHOUHOUHOU
¿Qué es eso?
No sé. Oímos ese mismo quejido hace un rato, pero...

HOUHOUHOUHOUHOUHOU
¡Silencio! Viene de esa habitación.

Con el dedo en el gatillo, Kamal entra en la habitación...

HOUHOUHO
¡Ah! ¡En ese sarcófago!
HOUHOUHOU

¡Cuidado! En cuanto dé la señal abridlo. ¡Ahora!

Y de repente, surgiendo como un diablillo de una caja, aparece Grossgrabenstein, atado y amordazado, ante la sorpresa de los presentes...

Dominando su estupor, Kamal le arranca la mordaza con un gesto brusco...
¿USTED?... ¿USTED?...
Sí, yo, Grossgrabenstein. Pero, Donnerwetter, ¿qué esperan para soltarme?...

¡Ah, no! ¡Todavía no! ¡Con una sola vez ya está bien!

¡Basta de engaños!... ¡Quítese esa barba!...
¡¡¡AY!!!

¡Es de verdad! ¡Por todos los diablos! ¡Creo que voy a volverme loco!
¡Asesino! ¡Bestia! ¡Me quejaré a las autoridades superiores!

Pero, ¿va a explicarme usted?...
Esta noche, cuando esperaba al profesor Mortimer, Sharkey y otros dos bandidos me golpearon en mi despacho. Al recobrar el sentido, estaba aquí encerrado en este...

Pero Kamal, sin escuchar más, corre hacia el exterior...
Ya Salam! ¡Deprisa! ¡El otro tipo!

...y bajando las escaleras de cuatro en cuatro se precipita hacia los coches...
¿Dónde está el doctor?
Con el sargento Ismail, en el último coche...

¡No hay nadie!
¡Lo sabía!

Ligeramente inquieto, no queriendo aceptar la idea de que Olrik haya podido huir, Kamal comienza a dar voces...
¡ISMAIL! ¡ISMAIL! ¡ISMAIL!
¡Parece que el sargento es un poco duro de oído, comisario!...

¡De cualquier modo, no pueden estar lejos! El chalet está rodeado y di la orden de que no dejaran salir a ningún civil, a ninguno. ¿Me entiende, Mortimer?
Bueno, yo...

Mientras tanto, Blake, que no se ha quedado inactivo, acaba de hacer un descubrimiento interesante.
¡Oh! Deprisa... ¡Escondamos esto!

Y un instante después...
¡Por aquí, comisario, por aquí!

Kamal llega corriendo e ilumina con su linterna una forma alargada y medio oculta por el follaje...
¡Por las barbas del profeta, si es el sargento Ismail!

Tras unos instantes de enérgico tratamiento, Ismail recobra el conocimiento, asustado...
¿Adónde ha ido?
¡Eso es lo que me gustaría saber a mí, sargento! ¿Y qué hace usted con esa pinta?

¡Oh, verá! Me dijo que necesitaba tomar un poco el aire, y cuando llegamos a esta parte del camino, de repente sentí un gran golpe en la cabeza y ya no sé nada más...

¡Bah! El resto es muy fácil de adivinar. Olrik se colocó el uniforme del sargento y salió tan campante...
¡Basta! ¡Basta! Ya estoy harto de este maldito asunto. Vamos, todos a comisaría para una explicación general. ¡Y sepa que habrá jaleo y gordo!
De acuerdo, comisario. Pero tengo aquí mi coche, y si usted me lo permite, Nasir y Abbas vendrán conmigo.
¡Bueno, pero hagan el favor de venir detrás!

En cuanto a ese tal "Grossgrabenstein", métanlo en el coche patrulla con los demás...

Was!... Yo, Grossgrabenstein... ¿en un coche patrulla? ¡Jamás! ¡Jamás!
¡Espósenlo!

Y mientras se llevan al desdichado doctor...
¡Venga conmigo! Creo saber dónde podemos encontrar a Olrik, pero no tenemos un instante que perder y, por supuesto, ni hablar de acompañar a Kamal...
¡Se va a poner hecho una furia!

Mientras tanto, una barca se aleja silenciosamente por el oscuro Nilo...

Poco después, entre un gran ruido de motores, la caravana de la policía sale de la calle Ebn Bakil. El Austin de Mortimer cierra la marcha...
POLICE

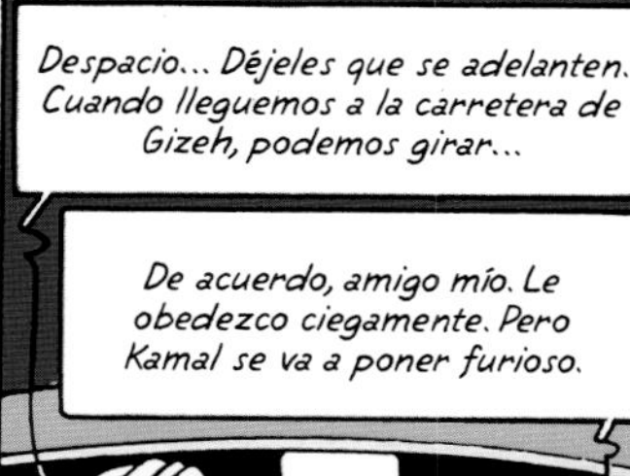
Despacio... Déjeles que se adelanten. Cuando lleguemos a la carretera de Gizeh, podemos girar...
De acuerdo, amigo mío. Le obedezco ciegamente. Pero Kamal se va a poner furioso.

Un instante después, la maniobra prevista se efectúa sin complicaciones...
?

La verdad es que hubiera sido totalmente estúpido por nuestra parte perder el tiempo en vanas palabras, mientras Olrik permanece libre.
Sin duda, ¿pero va a explicarme de una vez el misterio Grossgrabenstein? Han pasado tantas cosas en 48 horas que...

¡Comprendo! Mire, el doctor Grossgrabenstein es un egiptólogo muy competente, un poco fantasioso en su forma de ser y hablar, y Olrik era su proveedor de antigüedades... robadas, por supuesto. Ayer por la mañana, este sorprendió su llamada telefónica y comprendió que estaba a punto de ser cazado. Sin dudarlo un segundo, se transformó en el doctor, a quien encerró en el sarcófago, en su propia mastaba. Y luego le recibió a usted con el aplomo que lo caracteriza. Yo estaba al corriente de todo esto desde que llegué de incógnito a Egipto. Me metí en el jardín del chalet, dispuesto a ayudarles. Pero el inesperado mecanismo de las planchas de acero, en el curso de su pelea con los bandidos, me impidió intervenir. Puse sobre aviso a la policía y, aprovechando la ausencia de Sharkey y de sus hombres, me introduje en el chalet. Saboteé el sistema de seguridad y me oculté cerca de la mastaba. El resto ya lo saben ustedes...

My God! ¡Parece una verdadera novela policíaca! ¡Le debo una cena, Blake! Y ahora... ¿qué vamos a hacer?
Vamos a ir derechos a la cantera del doctor Grossgrabenstein... Y estoy dispuesto a que me ahorquen si no nos topamos con nuestro viejo amigo Olrik, que...

Pero una exclamación de Nasir le interrumpe en seco...
¡Sahbis, nos están persiguiendo!
Goddamn!

Efectivamente, a unos 400 metros de distancia, dos guardias motorizados intentan darles alcance a toda velocidad...

En vista de ello, Mortimer pisa el acelerador mientras Blake le explica rápidamente su plan de acción...

Solo podemos hacer una cosa: en cuanto giremos, paramos en seco, saltamos a tierra, Nasir toma el volante y los lleva a dar una vuelta lo más lejos posible.
All right!
¡Bien, sahib!

Si perdieras nuestra pista y no estuviésemos de regreso al alba, explícaselo todo a Kamal...
¡Muy bien, sahib!
There! ¡Ya estamos!

¡Cuidado! ¡Han desaparecido al girar!
¡Bah! ¡No podrán escapársenos!

Y dos segundos más tarde...
Well! ¡Ya era hora!
¡En efecto!

Sin perder un instante, los dos hombres se ponen en marcha...
Los hemos engañado... ¡Pero menudo panorama tenemos ahora!
¡Desde luego! Estamos a más de cuatro kilómetros de Gizeh...

Ahora dígame, amigo mío, ¿dónde se hospedó durante todo este tiempo?
Well, encontré un escondite bastante confortable en una cantera abandonada, a dos pasos de las excavaciones de Grossgrabenstein. Tenemos que pasar por allí para recoger unas herramientas. Y aprovecharé la ocasión para quitarme este disfraz.

Pero en ese momento, un ruido de motor les hace girarse...
¡Escuche!...
¡Un camión!

¡Eh!

Oiga, amigo. Mi coche se ha averiado. ¡Le doy diez piastras si nos lleva a Gizeh!
¡Suban! Yo voy justamente a Nazlet-el-Samman.

¡Hemos tenido suerte!
Y además vamos a adelantarnos a Olrik...

Tras una loca carrera, los dos motoristas han dado alcance a Nasir...
¡ALTO!
¿Pero... y el profesor?
¿El sahib?... En El Cairo, mi oficial... con el comisario...

¿Te estás burlando de nosotros? ¿Cómo va a estar con el comisario, si es el comisario quien nos ha enviado?
No entiendo nada. En el momento de salir del chalet, el sahib recordó que había olvidado en el Mena House un documento importante y me encargó que fuera a buscarlo, mientras él subía a otro coche...

Tu explicación me parece poco clara.
Pues acompáñenme al Mena House, effendis. Está cerca de aquí, y desde allí podrán telefonear al comisario...
¡De acuerdo, pero ya verás como nos hayas mentido! ¡En marcha!

Cinco minutos más tarde, delante del Mena House...
Voy a llamar al comisario. Tú acompaña a este tipo arriba y vigílalo...
¡Estate tranquilo!

Aquí es... ¿Quiere hacer usted el favor de pasar?
¡No! ¡Ve tú delante!

?
Nasir entra en el vestíbulo, preguntándose cómo va a salir de semejante berenjenal. De repente, ve entreabierta la puerta del cuarto de baño y lanza una exclamación...
¡Oh!
¿Qué pasa?

¡Oh, nada!... Creía... Creía...
¡Espera! Esto no me gusta nada...

Mi oficial, le aseguro que... esta habitación está vacía y que...
Eso vamos a verlo...

El policía entra en el cuarto de baño con desconfianza y Nasir, que no esperaba otra cosa, le da un fuerte empujón...
¡Adentro!
?

...y cierra la puerta con llave...
¡Lo siento, effendi!

Luego se precipita fuera del apartamento...
Y ahora rápido, a la escalera de servicio...

Pero aún no ha tenido tiempo de llegar al fondo del pasillo, cuando ya el policía ha roto la puerta...
¡Me las vas a pagar!

...y se lanza al teléfono interior...
¡Oiga! Aquí el apartamento del profesor Mortimer. Póngame con mi colega... ¡Pronto!...

¿Cómo? ¿Qué? ¡Lo has dejado escapar!... Pero eres totalmente... ¡En fin, ahora voy para allá!...

¡Por aquí, sargento!
!
¡Ahora mismo llego! ¡Que nadie salga! ¡Cierre todas las puertas!

Pero Nasir se ha metido en un pasillo oscuro...
¡Ah! ¡La puerta de la escalera de servicio!...

Ya Salam! ¡Está cerrada!

Con toda rapidez vuelve hacia atrás, pero...
¡Rápido! ¡Ha de estar por aquí!
¡Demasiado tarde!

De repente, ve una puerta y se mete dentro...
¡No tengo otra alternativa!

Una voz asustada en la oscuridad...
¿Quién... quién está ahí?...

Señores, estas son las habitaciones del servicio y...
¡No importa! ¡Vamos a registrarlo todo!
¡Cuidado con ese astuto pillo!

¡¡¡POLICÍA!!!

Pero la habitación donde la policía acaba de irrumpir es precisamente la del cómplice del Bezendjas, Mussa. Convencido de que van a detenerlo, se pone a gritar...
¡La policía! ¡Estoy perdido! ¡Pero yo no soy el culpable! ¡Es el Bezendjas!

¿Qué estás diciendo?
La verdad, effendi... ¡Sí, fue el Bezendjas quien lo arregló todo!... Yo sabía que todo esto acabaría mal... Pero me amenazó... Fue él quien colocó la serpiente en la habitación del profesor... Y luego lo de Nasir... Yo... ¡Por Alá, se lo juro, yo no he hecho nada!...

Ya Salam! Sargento, creo que nos hemos topado con un sujeto interesante...
Pienso como tú. ¡Venga, vamos, en pie!... Vas a ir a contarle todo eso al comisario Kamal.
Sí, effendi. En seguida...

Unos instantes después...
Nada, sargento. Lo he registrado absolutamente todo... Y por lo que respecta a la puerta del fondo, está llena de cerrojos por todas partes...
¡Mala suerte!... Debe de haber salido por el tejado, creo que hay una ventanilla que comunica con la escalera de servicio... ¡Vámonos!

¡Menos mal que nos llevamos a este!...
¡Desde luego! ¿Te imaginas si no al comisario?

Y mientras los policías se alejan con su prisionero, una cara barbuda sale con prudencia de debajo de la cama...
¡Uf! ¡De buena me he librado!

Y mientras estos acontecimientos transcurren en el Mena House, Blake y Mortimer, tras bajar de su providencial camión, han llegado al escondite de la vieja cantera y, mientras el profesor echa un vistazo por los alrededores, el capitán recobra su verdadera personalidad.

Hello! No querría mostrarme impaciente, pero el tiempo pasa y...
¡Ya estoy listo! No sabe cuánto me habría disgustado, si las cosas hubieran ido mal, acabar mis días bajo la personalidad de ese pobre Abbas...

¡Bien! ¿Y ahora querrá usted decirme qué ha descubierto?
¡Esto! Dígame qué piensa...

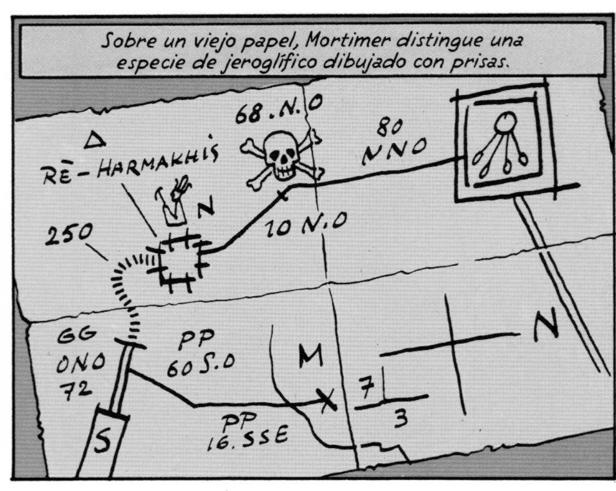
Sobre un viejo papel, Mortimer distingue una especie de jeroglífico dibujado con prisas.
RÊ-HARMAKHIS
68.N.O
80 NNO
N
10 N.O
250
GG ONO 72
PP 60 S.O
M
N
7
3
PP 16. SSE
S

By Jove! ¡Se diría que es el plano del pasadizo que conduce a la cámara de Horus!

¡Exactamente! Un plan establecido por ABDUL, gracias a los documentos sustraídos. Pero falta por indicar el punto de partida del subterráneo. De este modo, Olrik solo tendrá una idea: ocultar el tesoro. Propongo meternos en la mastaba, que nuestro hombre vaya allá y, sin proponérselo, que nos descubra el secreto...

Media hora más tarde, escondidos en un rincón desde donde pueden vigilar la entrada del misterioso corredor, los dos amigos esperan los acontecimientos...
¡Dios mío, cuánto tarda! ¿Vendrá?
¡Silencio!

Un débil crujido acaba de oírse junto al pozo de acceso. Seguidamente aparece una luz.

...y aparece aquel a quien esperan, Olrik, que se alumbra con una linterna...

...sin sospechar que a dos pasos se encuentran sus enemigos, a quienes creía haber despistado. Silenciosamente pasa...

...llega a la entrada del túnel y, tras lanzar a su alrededor una mirada desafiante...

...se introduce por la estrecha abertura...

Tras un momento de espera, con el fin de no despertar sospechas en Olrik, Blake y Mortimer encienden una lámpara, salen de su escondite y se aproximan al túnel con prudencia...

¡Así pues, es aquí donde empieza el corredor secreto!...
Eso es lo que vamos a ver ahora...

Voy a pasar primero. Al menor gesto que haga, apague el candil...
All right!

Tras avanzar de modo circunspecto, los dos hombres desembocan en el callejón sin salida, al final del túnel.
No entiendo nada.
Debe de haber otro túnel más pequeño hábilmente disimulado.

Y en vano inspeccionan con detenimiento la pared rocosa...
No hay ningún sitio que suene a hueco...
¡Pues no puede haberse evaporado!

Amigo, creo que solo podemos regresar a la mastaba...
Así es. Aprovecharemos para examinar bien el pasillo en busca de una entrada secreta.

Los dos hombres deciden deshacer lo andado y exploran con total minuciosidad el suelo y la pared. De este modo, llegan de nuevo al punto de partida sin haber hecho el más mínimo descubrimiento...

¡Nada! ¡Es increíble!

Creo que no hay más que una solución: esperar al tipo ese aquí y agarrarlo en cuanto vuelva a aparecer...

Me parece humillante después de...

Pero justo en el preciso instante en que Mortimer va a salir del túnel, un trozo de roca le cae en la cabeza.
¡¡¡Ay!!!

Refunfuñando, dirige nstintivamente la luz del Candil hacia arriba.
By Jove!!!

Ante la exclamación del profesor, Blake se gira...
¿Qué pasa?
¡Eh! ¡Venga, rápido!

El capitán se reúne con Mortimer y ve una estrecha abertura horadada en el techo...
¡Así que era aquí!... ¡A tres metros de la entrada!... No es nada sorprendente que hayamos pasado por aquí sin ver nada... ¡Qué suerte!
...Que esa piedra me haya caído en la cabeza, ¿no?

¡Eh, fíjese en esto! ¡Han hecho perforaciones para facilitar la subida!
Pues aprovechémoslas...

Y comienzan a subir...
Esta "chimenea" debe de datar de muchos siglos...

Después de subir unos 7 metros, los dos hombres emergen en una pequeña cámara tallada en plena roca...
¡Ya estamos!
¿Cómo? ¿Otro callejón sin salida?

¡Un momento! ¡Mire ese rincón... hay una abertura!
¡Debe de ser la entrada del pequeño pasadizo!

¡En marcha, el tiempo apremia!
¡Un momento!... ¿Olvida usted nuestra cita con Nasir?

¡Es verdad! ¿Pero cómo indicarle nuestra posición?... No veo la manera... Y volver atrás es...
¡Tengo una idea! Voy a dejar caer mi chaqueta por el agujero. Nasir la verá y mirará para arriba...

Y dicho y hecho, Mortimer deja caer su chaqueta...

...que desgraciadamente, queda colgada de un saliente...

Y mientras Blake y Mortimer, ignorando que no dejan ninguna pista tras ellos, se adentran en el estrecho túnel que acaban de descubrir, el fiel Nasir, que por fin ha conseguido escapar del Mena House, llega a su vez a la cantera del doctor Grossgrabenstein...

Espero que los sahibs no hayan tenido problemas...

Una vez dentro de la mastaba, Nasir, ante el temor de alertar a Olrik, permanece largo rato al acecho en la oscuridad. Pero al no observar el más mínimo gesto de vida, se arriesga a encender una cerilla...

¡Nada!... Y solo tengo esta caja de cerillas... ¡En fin, mala suerte! Voy a intentar encontrar el pasadizo del que me habló el profesor...

Enciende una cerilla tras otra y, siguiendo el indeciso resplandor que estas le facilitan, llega por fin a la última cámara...
¡Aquí es! Veamos si...

Nasir se arrodilla ante la abertura del túnel y examina el lugar con suma atención, pero de repente...

?

...ve el talismán del jeque Abdel Razek. Efectivamente, tras deslizarse del bolsillo de la chaqueta en el momento en que esta quedaba colgada, el objeto mágico cayó al suelo...

¡El talismán del profesor! Debió de perderlo al reptar... estoy en el buen camino... ¡Sigamos!

En cuanto llega al otro extremo del camino, constata inmediatamente que se encuentra en un callejón sin alida. Sorprendido e impresionado por lo extraño del lugar, Nasir se pregunta qué puede hacer...

Este silencio maléfico... La ausencia del capitán y del profesor... Este talismán perdido... Todo esto me augura cosas malas. Y casi no me quedan cerillas. ¡Por Alá! ¡Tengo una idea!... Pero he de actuar pronto...

En ese momento, Blake y Mortimer, que han ido siguiendo el pequeño pasadizo, desembocan de repente en una amplia galería...
60 metros S.O. ¡Vamos bien!... ¡Y esto es la gran galería!
¡Fíjese, el túnel se acaba aquí!...

¡No tiene importancia! El plano indica O.N.O. y, además, las huellas esas, tan recientes, nos indican la dirección que hemos de seguir...
¡En efecto! ¡En marcha!

Y mientras los dos hombres se ponen en marcha...

...Nasir, que acaba de salir de la mastaba, se dirige con rapidez hacia un misterioso objetivo...

Nuestros amigos ya han franqueado una buena distancia cuando, de repente, en un recodo de la galería...
Damned! ¡El paso está bloqueado!
Sin embargo, las huellas siguen por aquí... Veamos esto más de cerca...

Al aproximarse descubren una estrecha abertura perforada en el muro lateral.
¡Vaya! ¡No es tonto nuestro amigo Olrik!
Desde luego, como no pudo hacer frente al granito, prefirió perforar el muro y esquivar el obstáculo...

Los dos hombres se deslizan a través de la abertura y salen al otro lado...
¡Un método muy ingenioso!... El mismo que utilizaban los ladrones de la antigüedad... ¡Oh, aquí está la perforadora que emplearon para este trabajo!...

¡Y aquí, probablemente, la famosa escalera de 250 peldaños!...

¡Parece que estemos en la puerta del infierno!...

Ante ellos, tallados en las rocas, innumerables escalones se hunden en las tinieblas...

Con los nervios a flor de piel, Blake y Mortimer se adentran en la extraña escalera.
Veintitrés, veinticuatro, veinticinco... ¿Adónde nos conducirán?
¡A Olrik, espero!...

Doscientos cuarenta y ocho... doscientos cuarenta y nueve... doscientos cincuenta escalones. ¡La cabeza me va a estallar!
¡Mire, una puerta!...

Pero apenas han cruzado, nuestros amigos se detienen sorprendidos...
By Jove! ¿Qué son?... ¡Tumbas?...
¡Hum!... OSIRIS... ANUBIS... THOT... Parece un templo de iniciación...

En silencio, los dos hombres avanzan hacia el centro del templo cuando...
¡Eh! Mire esta losa...
¡No es posible! ¡Páseme el candil!...

Sí, lo es... La réplica exacta de la estela que el faraón Tutmés IV colocó en el pecho de la Esfinge...
¡Es increíble!

¡Es cierto!... ¡Y ahora todo está claro! Tutmés descubrió en la Esfinge el pasadizo que conducía a la cámara de Horus, y para conmemorar tal acontecimiento, mandó colocar aquí la copia de la "estela oficial". Así, el secreto pasó a su hijo y luego a su nieto, Akenatón, cuyo tesoro estamos buscando...

¡Perfecto! Pero ahora tenemos que orientarnos, porque el suelo ha sido tan pisado aquí dentro que las huellas ya no nos son de ninguna utilidad...
¡Bah! Aquí hay siete puertas, además de la escalera... Una de ellas ha de ser la del pasadizo. Vamos a explorarlas una a una...

¡Bueno! ¡Pero cuidado, no vaya a ser que nos perdamos en algún laberinto!...
¡Prudencia!

Sin embargo, para su gran sorpresa, la primera puerta conduce a una estrecha habitación llena de restos.
Tal vez esto fuera una capilla.
Miremos las otras...

Pero la búsqueda resulta por el momento infructuosa...
¡Ya llevamos seis!...

Finalmente llegan a la última...
¡Como no sea aquí!...

Entonces el profesor franquea el umbral y lanza un terrible grito...
!
¡AAAAAAAH!

Blake entra precipitadamente y ve a Mortimer debatiéndose como un diablo en medio de un enorme enjambre de grandes murciélagos enloquecidos por la luz. Sin embargo, el capitán no tiene tiempo de intervenir...
¡Atrás! ¡Atrás!

...Puesto que Mortimer, en su carrera hacia la puerta, choca con él con tanta violencia que la lámpara se le cae al profesor de las manos, estrellándose contra el suelo...

...y sumiendo el templo en una oscuridad total...
Damned! ¡Qué idiota soy! ¿Pero cómo iba a imaginarme yo que me iba a encontrar con estos infames quirópteros?
Sin duda estos túneles deben de comunicar por algún estrecho conducto con el exterior... Pero, un instante, tengo cerillas...

Perplejos, los dos hombres celebran consejo...
La lámpara está hecha añicos... En estas condiciones no podemos avanzar más...
¡Espere! En la primera de las habitaciones vi trozos de madera; ¡podemos hacernos antorchas!...

Sin perder un instante, llevan a cabo el proyecto.
Justo lo que necesitamos... Voy a partir esto en trozos...
¡Bien! ¡Dese prisa!...

El profesor empuña fuertemente una de las protuberancias y se dispone a tirar de ella con todas sus fuerzas...
¡Vamos a ver!...

Pero la madera, frágil por el paso de los siglos, se rompe bruscamente y...

Mortimer, perdiendo el equilibrio, tropieza hacia atrás...
LOOK OUT!

...en el preciso instante en que la cerilla de Blake, totalmente consumida, se apaga.
¡AH!
BROMM

Blake, febrilmente, enciende otra cerilla, pero...
¿Cómo? ¿Qué? ¡Ha desaparecido! ¡Eh, Mortimer! ¡Mortimer!...

Entonces, la voz del profesor se oye, muy lejana, al parecer a través de la boca de la estatua de Osiris, que la incierta llama ilumina...
¡Blake! ¡Blake!
?

Tras un instante de intenso estupor, el capitán grita...
¡Basta! ¡No es este el momento de bromear, profesor!

¡No tengo ninguna gana de bromear, capitán!
¿Pero... dónde diablos está usted?...

Y Blake, cada vez más estupefacto, oye cómo la estatua sigue hablando...
¡No lo sé! ¡Imagino que en el imperio de los muertos!...

Reprimiendo con gran esfuerzo la angustia que siente, Blake prosigue la extraña conversación.
Vamos, vamos, amigo mío, recuperemos nuestra sangre fría y razonemos con calma... ¿Qué ha ocurrido?

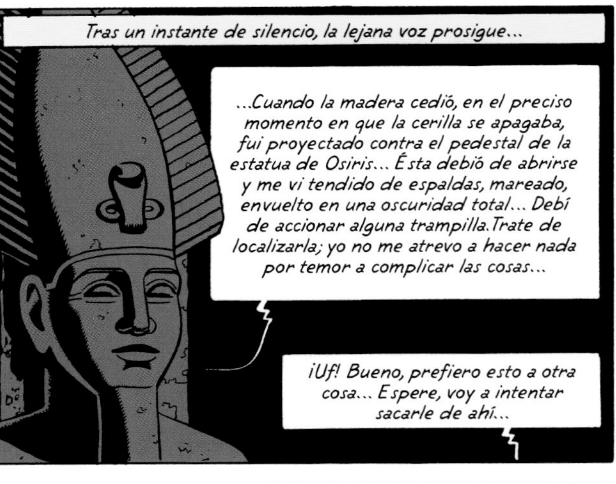
Tras un instante de silencio, la lejana voz prosigue...
...Cuando la madera cedió, en el preciso momento en que la cerilla se apagaba, fui proyectado contra el pedestal de la estatua de Osiris... Ésta debió de abrirse y me vi tendido de espaldas, mareado, envuelto en una oscuridad total... Debí de accionar alguna trampilla.Trate de localizarla; yo no me atrevo a hacer nada por temor a complicar las cosas...
¡Uf! Bueno, prefiero esto a otra cosa... Espere, voy a intentar sacarle de ahí...

Veamos, Mortimer se encontraba aquí cuando... ¡Ah! Aquí está el trozo de madera que arrancó... Así, pues...

...cayó contra esta pared... Seguramente debe de tratarse de una de esas losas giratorias que los egipcios utilizaban con tanta frecuencia para cerrar la entrada de ciertos pasadizos... Pero el problema es encontrar el sitio preciso donde apretar...

Sabiendo que tales puertas secretas están constituidas por un enorme bloque de piedra que, dispuesto en equilibrio sobre un quicio, recobra automáticamente su posición gracias a un sistema de contrapeso, y que, en consecuencia, nada permite distinguir esta losa de las otras piedras que la rodean, Blake inicia una minuciosa exploración...

Y de repente...

¡Ah! Creo que se ha movido...

Blake empuja con fuerza en el punto requerido, e inmediatamente una parte del muro gira sobre sí misma, descubriendo una gran abertura...
Hello!

¡Amigo mío!
My goodness! Parece como si volviera del más allá...

¡Ah! ¡Menos mal!... Su voz saliendo de la boca de Osiris me parecía venir de otro mundo...
Veo que el viejo truco ha funcionado. Lo imaginaron los sacerdotes para impresionar a los neófitos en el momento de las pruebas de iniciación...

¡Confieso que todavía causa su efecto! Pero dígame, ¿puede ser que casualmente hayamos descubierto la continuación del pasadizo?...
¡Vamos a cerciorarnos ahora mismo! Preparemos las antorchas...

Poco después, provistos ya de las antorchas que el profesor ha embadurnado con el petróleo de la lámpara, nuestros héroes constatan que un estrecho corredor parte de debajo del pedestal de la estatua.

¡Fíjese!
¡En marcha!

Comienzan a caminar por una galería interminable, avanzando tan rápidamente como lo permite la claridad rojiza y fantástica de las antorchas, que se consumen con una rapidez inquietante...

Damned! Si este corredor sigue prolongándose...

¡AH!
¡BLAKE!

Blake ha caído en un pozo, pero milagrosamente su palanca ha quedado encallada transversalmente entre los muros. Nuestro amigo permanece suspendido sobre el vacío...

...Y observa, gracias al resplandor de la antorcha, caída al fondo, el amasijo de restos de los ladrones de otras épocas, víctimas de la misma trampa...

¡Deprisa, Mortimer, haga algo! No voy a poder aguantar mucho tiempo aquí... ¡Al mínimo movimiento que haga, la palanca puede soltarse!

¡Un segundo! Voy a pasarle mi cinturón... Agárrelo con fuerza... ¡Voy a sacarle de ahí!

Tras atarse el cinturón a la muñeca por la hebilla, el profesor lo deja caer hasta Blake...
¡Ahora!

Este, en un supremo esfuerzo, se aferra bruscamente al cinturón, mientras la palanca cae con gran estrépito...
¡Ah!

¡Perfecto! Sujétese bien... Voy a subirle...
¡Adelante!

Y Mortimer, haciendo un gran esfuerzo, sube lentamente a su compañero, quien, apoyándose con los pies en las asperezas del muro, logra salir del horrible pozo. Estremecido, el capitán permanece unos instantes arrodillado en el borde...

¿Cómo se encuentra?...
¡Mejor! ¡Ahora ya sé qué significa la cabeza del muerto!

Al cabo de unos momentos, los dos hombres se ponen en marcha de nuevo...

¡Abramos bien los ojos!...

Pero la llama de su única antorcha decrece rápidamente y...
¡Mire, empieza a carbonizarse!...
¡Va a durar muy poco tiempo!

En efecto, la luz, tras disminuir paulatinamente, de repente se apaga...
¡Estamos perdidos!...
¡Y tal vez estábamos ya en la recta final!

Pero mientras permanecen ahí, inmóviles, sin atreverse a dar un paso, sus ojos, acostumbrados a la oscuridad, comienzan a distinguir a lo lejos un vago resplandor...
¡Mire allá!
By Jove!...

Con prudencia, avanzan hacia allí y desembocan en una especie de antecámara abovedada, medio derruida...
?
?

Cruzando con sumo sigilo la antecámara, Blake y Mortimer se aproximan a una puerta casi desmoronada por donde se filtra una luz...
¡Atención! Olrik no debe de estar lejos...
Sí, saquemos las armas...

Blake se lleva la mano al bolsillo donde tiene el arma y lanza un grito ahogado.
¡Cielos!
¿Qué pasa?

¡Mi pistola! Debí de perderla al caer al pozo...
¡Diablos! Estamos en desventaja contra una metralleta. En fin, intentaremos atraparlo por sorpresa...

Pero el capitán interrumpe bruscamente a su compañero...
¡Silencio! ¡Mire!
By Jove!

Conteniendo la respiración, los dos hombres se deslizan entre enormes troncos semipodridos y que se sostienen gracias a puntos de apoyo fragilísimos...
Un nuevo trabajo de los hombres de Olrik...
¡No tiene aspecto de ser muy sólido!...

Atónitos, acaban de descubrir por fin la misteriosa cámara de Horus, tan buscada. En realidad es una amplia cripta de granito de color rosa, sostenida por macizos pilares. Un ancho y profundo foso, lleno de agua estancada, la rodea totalmente...

...formando en el centro de la sala una especie de isla. En medio, una colosal estatua de Akenatón parece velar el prodigioso amontonamiento de tesoros que rodean el sarcófago real. Y allí, inclinado sobre el sepulcro profanado, se encuentra Olrik...

Olrik, en su afán criminal, no puede suponer que sus adversarios, a quienes cree muertos, se encuentran a tan pocos pasos...
Por el momento contentémonos con unas joyas. Volveré a buscar el resto dentro de un tiempo, cuando se hayan olvidado de mí. Y no serán ni Blake ni Mortimer quienes vayan a impedírmelo... ¡Ja! ¡Ja! ¡Ja!... En cuanto a mis cómplices, no tengo nada que temer, estarán bien callados, les da miedo perder su parte del botín...

Mientras tanto, Blake y Mortimer traman un plan...
¿Nos echamos encima de él?
No, correríamos el riesgo de que nos viera cruzar la pasarela... Pero no veo su metralleta... Perfecto...

El malvado no espera vernos aparecer. Y a mí, a quien cree muerto, menos que a nadie. Le voy a dar un buen susto... Páseme el revólver y manténgase detrás como si también usted estuviera armado...
All right!

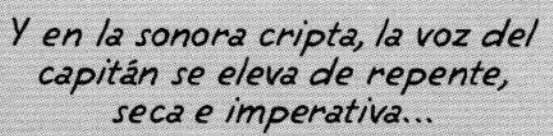
Y en la sonora cripta, la voz del capitán se eleva de repente, seca e imperativa...
HANDS UP!

Olrik se detiene, petrificado de estupor...
¡Manos arriba! ¡Rápido! ¡O disparo!
?

Y como el bandido no reacciona con rapidez, un disparo le arranca el pectoral que tiene en las manos...
?!
PAN
WIZZZZ

¡Vamos! ¡No estamos de humor para bromear! ¡Arriba las manos y dese la vuelta hacia nosotros!...

Aturdido, Olrik obedece como un autómata, pero al ver a Blake y a Mortimer lanza un grito de sorpresa.
¿Usted?... ¿Blake?... ¿Mortimer?... ¡Pero... si creía que estaban muertos!
¡Bah! Su amigo Jack no tuvo suerte.
¡Y Sharkey tampoco!

Pero Olrik ya se ha dado cuenta de que su arma está fuera de la vista de sus adversarios.
¡Bien! ¡Ahora acérquese con cuidado! ¡A la menor tentativa que haga, le vuelo los sesos!
¡Mi metralleta!

Aparentemente vencido y sumiso, Olrik se acerca nerviosísimo...
Well!... Cruce la pasarela...

Pero bruscamente, con una rapidez inaudita, se lanza detrás del cofre contra el que está apoyada su arma...

Y antes de que Blake se recobre de su sorpresa, Olrik dispara una ráfaga...
TAC
TAC
TAC

Blake tiene el tiempo justo de protegerse detrás de un bloque de piedras, y Mortimer busca un precario abrigo tras unos escombros...

Pero Olrik dispara tantas ráfagas que secciona literalmente uno de los pilares de madera...
WIZZZZZ
WIZZZZZ

...que se rompe con un siniestro crujido...
!

...y acto seguido, todo el amontonamiento de piedras que se sostenían de modo tan frágil se derrumba con un ruido horrible, pulverizando la pasarela...
?!

Cuando el polvo se desvanece, Olrik mide consternado la dimensión del desastre...
¡Seguro que han muerto aplastados!... ¡Pero ahora la salida está bloqueada! ¡Maldición! ¿Me quedaré emparedado en esta tumba?... ¡No!... ¡No puede ser!... ¡Ha de haber algún medio para poder salir!...

Quiero asegurarme ahora mismo... Este bloque me permitirá alcanzar el otro lado.

Pero apenas Olrik ha llegado al nivel del agua, retrocede horrorizado.
¡Demonios!

Olrik acaba de ver un enorme cocodrilo nadando hacia él...

Reprimiendo un escalofrío de terror, Olrik descarga su arma contra la cabeza del animal, pero constata con horror que el monstruo, que parece invulnerable, sigue avanzando hacia él...
¡Pero... no es posible!...

...y de repente...
¿Pero qué estoy viendo? ¡No! ¡Debo de estar soñando!... ¡Otro... y otro! ¡Y otro! ¡¡¡Horror!!!

Un instante después, bajo la aterrorizada mirada de Olrik, el foso se llena de repugnantes saurios...

Sudoroso, dispara sin parar, pero de repente...
¡Ya no hay más munición!
CLIC

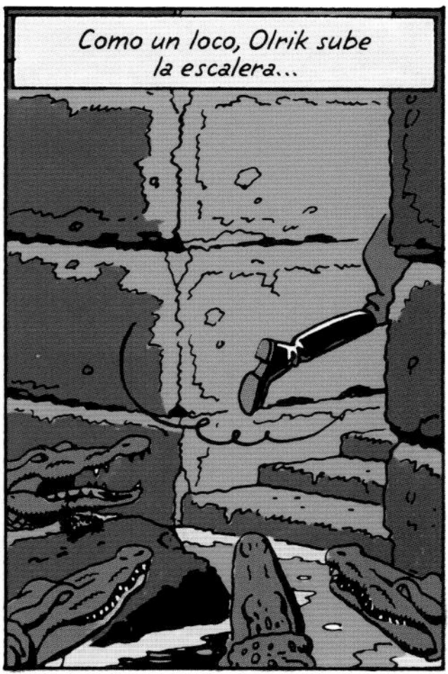

Como un loco, Olrik sube la escalera...

...y explora enloquecido el resto del foso...
¡Por todas partes! ¡Están por todas partes!

Mientras tanto, entre el caótico amasijo de piedras, Blake y Mortimer, que se han salvado de milagro gracias a un bloque que no se derruyó, hablan de su situación...
¡No hemos muerto aplastados de puro milagro!... ¿Qué deben de ser esos disparos?
¡Vayamos a verlo!

Deslizándose a través de los escombros, los dos amigos alcanzan el borde del foso...
¡Mire!... ¡Es Olrik! ¿Qué debe de hacer?
Está obstruyendo la escalera que baja al foso...

En efecto, el bandido, presa de una especie de frenesí, bloquea con la ayuda de cofres y otros enseres la entrada de la escalera...
¿Y qué puede haber en el agua?...

Intrigados, los dos hombres avanzan y miran en el foso...
¡¡¡Dios mío!!!

En ese preciso momento, Nasir entra corriendo en Nazlet-el Samman...

Entretanto, mientras se desarrollan estos dramáticos acontecimientos, el jeque Abdel Razek, arrodillado delante de una extraña estatua, parece sumido en un profundo éxtasis.

Ante él hay dos figuritas de cera, una reproduce la imagen de Olrik, la otra tiene la forma de un cocodrilo. Las manos del anciano no cesan de gesticular con movimientos misteriosos...

Pero de repente...
¿Quién viene a esta hora?

¡Oh, noble jeque! ¡Perdona esta intrusión nocturna! Pero temo que algo malo le haya ocurrido a mi señor... Y he pensado que...
Entra...

Dime. ¿Qué ha pasado?...
Mire lo que he encontrado en la mastaba del doctor Grossgrabenstein, donde el profesor Mortimer y el capitán Blake me habían citado esta noche...

Y rápidamente, Nasir pone al jeque al corriente de las circunstancias en las que ha descubierto el objeto mágico en la mastaba, y le dice por qué pensó buscar ayuda en quien había dado a su señor el talismán. El jeque, después de escucharle en silencio, dice...

Veré qué puedo hacer. ¡Sígueme!... Y, pase lo que pase, guarda el más profundo silencio.

Tras introducir a Nasir en una estrecha cámara de paredes cubiertas de bajorrelieves, el jeque se aproxima a una gran pila de diorita llena de agua, con gestos rígidos, deja caer un poco de polvo verde...

El líquido empieza a hervir inmediatamente...

...y un instante después, en el agua agitada, aparece la cámara de Horus y, en su centro, Olrik preso de una agitación violenta...

El jeque murmura...
Sí, ese miserable está ahí... Pero sigamos viendo...

Sopla en el agua y Olrik desaparece para dar paso a Blake y a Mortimer.
Y de repente todo desaparece como por arte de magia. El jeque dice entonces con gravedad...

No temas por tus señores. Ve al pie de la Gran Pirámide y espera allí. ¡Ve!...
¡Bendito sea el misericordioso!...

En ese momento, Blake y Mortimer observan desde su escondite el extraño comportamiento de Olrik, sin dejar de cambiar impresiones...
Mire, después de obstruir la escalera parece que está más tranquilo...
¡Bah! Eso no va a mejorar su situación, ni tampoco la nuestra. Es solo cuestión de horas...

Pero un grito del bandido los sobresalta...
¡No!... ¡El agua!... ¡El agua está subiendo!...

Damned!... ¡Es verdad! ¡El agua está subiendo! ¿Qué vamos a hacer?
¡Trepemos por las piedras!...

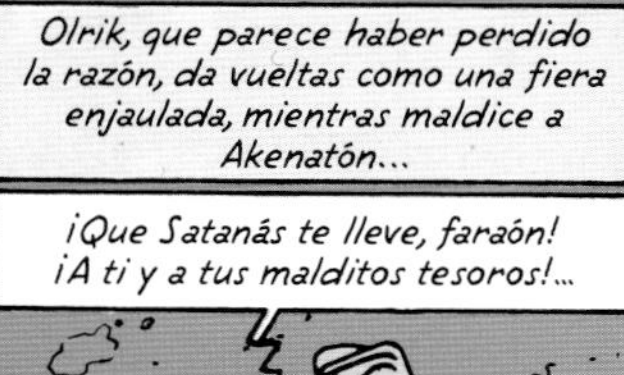

Olrik, que parece haber perdido la razón, da vueltas como una fiera enjaulada, mientras maldice a Akenatón...
¡Que Satanás te lleve, faraón! ¡A ti y a tus malditos tesoros!...

Y, apoderándose de una pesada hacha de oro, se lanza hacia el sarcófago...
¡Pero no moriré sin antes haber destrozado tu maldita momia!

...blandiendo el arma enfurecido por la rabia...

Pero bruscamente, como empujadas por un viento furioso, se abren las puertas del tabernáculo y aparece el jeque Abdel Razek, vestido con las ropas de los sacerdotes egipcios.
!

Ante semejante aparición, Olrik queda un segundo desconcertado, y acto seguido lanza un rugido de cólera...
¡Ah, eres tú! ¡A ti te debo todas estas magias!... ¡Pero yo no soy Sharkey!

En el momento en que el bandido se lanza hacia él levantando el hacha, el jeque, imperturbable, extiende la mano...
¡¡¡Por Horus, permanece!!!

Como movido por estas palabras, Olrik cae hacia atrás con una fuerza inaudita, chocando con el sarcófago y quedando allí, como aquejado de catalepsia...

¡Ha llegado la hora de que expíes tus crímenes, infame profanador!

Petrificados de estupor, Blake y Mortimer siguen desde su escondite esta extraordinaria escena...
¡ASÍ PUES, ERA ÉL EL ENVIADO DE ATÓN!

Dejando al miserable junto al sarcófago, Abdel Razek se gira hacia la gran estatua de Akenatón y le dirige una solemne invocación.

¡Oh, Atón, fuente de vida! Resplandeciente te levantas sobre el país de Egipto. ¡Cuán diversas son tus obras, e impenetrables tus designios! ¡Oh, tú, sol del día, gran poder! El mundo está en tus manos. Cuando te levantas vive. Cuando te acuestas muere y solo te conoce tu hijo Akenatón, el Señor de los dos países, Nefer-Kepru-Ra, Wan-Re, hijo de Ra, que vive de Verdad, Señor de las diademas, cuya vida es larga, habitando y prosperando para siempre jamás...

...y poco a poco, el sol de oro situado detrás de la cabeza del faraón comienza a brillar, de modo cada vez más luminoso, hasta llenar toda la cripta con una luz resplandeciente...

By Jove! Francis, ¡pellízqueme para que despierte!...
¡Es increíble!

Y de repente, Abdel Razek se gira hacia los dos hombres y les dice:
¡Venid!

Pero... ¡Es imposible!... ¡Los cocodrilos!... ¡La pasarela!...
¿Qué cocodrilos?... ¿Qué pasarela?...

En esos momentos, Blake y Mortimer se inclinan hacia el agua y...
¿Cómo?... ¡No hay nada!
¡Han desaparecido!...

No solo los saurios han desaparecido y el agua ha recobrado su nivel normal, sino que la pasarela rota a causa del desmoronamiento, está de nuevo ahí, intacta...
There! ¡La pasarela!
¡Vuelve a estar en su lugar!

¡Que tu nombre deje de existir!...
Y mientras nuestros dos amigos cruzan el foso y se acercan al jeque, este, extendiendo la mano sobre Olrik, dice:

En ese mismo instante, el malvado abandona su extraña inmovilidad y se desploma como una marioneta rota al pie del sarcófago...

Y ahora escuchad: voy a explicaros los misterios de esta noche...

Y con voz lenta y grave, el misterioso jeque comienza su narración.
Como sabéis, nos encontramos en la santísima cámara de Horus, el lugar más secreto del antiguo Egipto. Mucho antes que Keops, el llano de Gizeh era un lugar dedicado al sol; por esa razón, el soberano hizo levantar aquí su pirámide, sobre las ruinas de un antiguo sanitario del que esta cripta es un monumento, tenían sus buenas razones para pensar que ningún profano se atrevería jamás a poner los pies en ella, y mucho más teniendo en cuenta que muchas historias propagadas hábilmente hacían creer a la gente que la cámara de Horus no era más que un mito ridículo... y a los sabios de Occidente les horroriza el ridículo...

Desgraciadamente, el descubrimiento del manuscrito de Manetón suscitó la curiosidad científica de unos y la codicia de otros. De este modo, cuando el doctor Grossgrabenstein comenzó sus excavaciones, comprendí en seguida que quienes estaban detrás de ese inofensivo investigador perseguían fines muy distintos, y que nada los apartaría de sus propósitos criminales. Sin embargo, cuando tú, el profesor Mortimer, te interpusiste entre Sharkey y yo...

...comprendí que eras un hombre recto y justo. De este modo, tras la tentativa de asesinato perpetrada contra ti por el mismo Sharkey, decidí, después de ponerte en guardia y a despecho de las amenazas proferidas en mi contra, dejar al miserable Olrik, a quien podría haber castigado ya hace mucho tiempo, hundirse cada vez más en el crimen, para castigarlo en el momento justo en que consumase su sacrilegio. Así pues, cuando Olrik penetró esta noche en la cámara sagrada para llevar a cabo su propósito, concentré sobre él todo mi poder mágico. Pero al hacerlo no os vi, y a punto estuve de arrastraros en su condena...

Sin embargo, esos terribles cocodrilos, la subida del agua, no eran más que ilusión, fantasmagoría, autosugestión...
¡Caramba!
¡Yo me lo creí!

¡No!... Y además, en el fondo de todo esto hay algo mucho más importante que un tesoro o que una momia real... Algo que quiero confiaros porque vuestro corazón es puro...

Cuando hace ya más de treinta siglos...

Pero dime, ¿por qué te opones a las excavaciones desinteresadas de los verdaderos egiptólogos?
Porque no quiero ver la momia de Akenatón expuesta ignominiosamente en un museo...
Pero, no obstante...

El jeque toma incienso, lo enciende y luego retoma la palabra...

...AMENOFIS IV subió al trono, pronto se dio cuenta de que el poder real, de hecho, se encontraba en manos de los sacerdotes de Amón...

Resuelto a desembarazarse de esa intolerable tutela, y obedeciendo por otra parte a su naturaleza profunda, el joven faraón instauró un nuevo culto, el de Atón, el disco solar, divinidad suprema y única, símbolo de pureza y luz...

Mientras el jeque Abdel Razek prosigue su narración, Blake y Mortimer, como fascinados, ven aparecer a través del humo del incienso que se espesa cada vez más las escenas que la voz del anciano evoca...

Al ver sus designios combatidos por la religión tradicional, la aniquiló, cerró sus templos y dispersó a sus sacerdotes. Luego, después de abandonar Tebas, marchó a fundar una nueva capital y cambió su nombre de Amenofis por el de AKENATÓN, es decir, espíritu de Atón...

...pero cuando, siguiendo su sueño de claridad y bondad, se esforzaba en extender aquella religión tan profundamente distinta de la vieja mitología egipcia, llegaron noticias muy alarmantes de las posesiones asiáticas del imperio.
¡Oh, rey de Egipto, Rib-Addi, tu fiel vasallo, implora tu ayuda! ¡Biblos se halla amenazada y Kadesh, Ugarit y Simira han caído en manos de los hititas!...
Sí... Lo sé... Reaccionaremos... Pero cuando el templo esté construido...

Sin embargo, el pueblo no entendía nada de aquel culto demasiado abstracto y permanecía sujeto a sus antiguos dioses, así como a todas sus supersticiones...
¡Buen viaje y que Atón te proteja!
Sí, tal vez... Pero este amuleto del dios Khopri me será de gran utilidad contra las mordeduras de las serpientes...

...al tiempo que el clero de Amón, conteniéndose a la espera del desquite, trabajaba en secreto con todas sus fuerzas para minar la autoridad del rey...
Paciencia... El hereje no vivirá mucho tiempo... Dicen que está enfermo y muy debilitado...
¡Que la muerte se lo lleve pronto!...

En efecto, después de 17 años de reinado, Akenatón, agotado por aquella lucha y por el peso abrumador del poder, murió prematuramente y dejó el trono a oscuros sucesores...
Atón ha llamado a su lado a su hijo Akenatón...

...pronto, uno de estos, el joven Tutankamon, demasiado débil para enfrentarse a los sacerdotes de Amón que habían recobrado toda su influencia, se vio obligado a volver al viejo culto...
¡Oh, rey, abandona esta ciudad mancillada por la herejía!... ¡Amón lo exige!...
Que así sea...

...Akenatón, la nueva capital, fue abandonada a las arenas del desierto, y mientras la dinastía se agotaba, estallaron revueltas y el país cayó presa de bandas de ladrones y bandidos que profanaron las tumbas reales...
¡Destruyamos la imagen del hereje!

Sin embargo, Akenatón había conservado fieles a quienes el infortunio de los tiempos obligaba a disimular su opinión. Y un día, en el momento álgido de aquel período de anarquía...
¡Paatenemheb!... ¿Tú?...
Merira, traigo malas noticias...

Me he enterado por una buena fuente de que la banda Tutti se dispone a profanar la tumba del rey y a destruir su momia... ¡Oh, gran sacerdote de Atón! ¡Tú que comes el alimento del faraón en la morada de Atón, ¿no harás nada para ayudarme a impedir ese crimen?!...
Te doy mi ayuda, amigo... ¿Pero, qué te propones?

Recurramos al general Horemheb. Es un hombre enérgico y justo. Nos quiere bien... Y muchos ya ven en él a nuestro futuro soberano...
Sí... Aunque por desgracia está guerreando en las fronteras y su ayuda llegaría demasiado tarde... Pero veo un medio... ¡Uno solo! Escucha...

Justo antes de morir, el rey me reveló un secreto que se transmite en la familia real desde Tutmés IV. Este rey estaba un día cazando en el desierto, cerca de Menfis, y cansado se durmió en la sombra de la gran esfinge Re-Harmakis, la cual, hablándole en sueños, le ordenó que la desproveyese de la arena que la envolvía y a cambio le prometió un glorioso reinado. Tutmés obedeció, pero en el curso de los trabajos descubrió una entrada secreta que le condujo a una cámara muy antigua, situada bajo la pirámide de Keops, y que tan solo contenía un sarcófago vacío, destinado, parece ser, a Horus...

...El rey me confió un plano provisto de todas las indicaciones necesarias para llegar a ese escondite, con la misión de transmitirlo a aquel de sus sucesores que yo considerase digno. Sin embargo, como en estos momentos se trata de asegurar la salvación de su alma, quiero mostrarme leal servidor revelando lo que sé...
¡Alabado sea Atón! ¡Y tú, Merira! ¡Feliz quien escucha tus enseñanzas de vida, puesto que ningún otro sitio sería mejor para acoger a nuestro señor Akenatón!...

Bien... Acude mañana a la séptima hora de la noche (1) al valle de los muertos...
Allí estaré, Merira... ¡Que Atón te proteja!

Bien, ya está... ¡Ahora ya pueden venir!... La tumba está vacía. Por prudencia se ha colocado otra momia en lugar de la del rey. Eso les impedirá buscar más allá...
¡Perfecto!... ¡En marcha!...

Tras subir el féretro de Akenatón y su tesoro, Merira, Paatemheb y sus fieles embarcaron, y los tres navíos comenzaron a descender lentamente por el silencioso Nilo.

Para abordar, días más tarde, a la hora del crepúsculo, la vista de las pirámides...
El lugar está desierto, acerquémonos...

Luego, al caer la noche, la pequeña caravana, cargada con el valioso tesoro, se adentró por la planicie de Gizeh...
He aquí la venerable estatua del gran dios Harmakis-Kepri-Re-Atum...

Llegados al pie de la esfinge, Merira, tras consultar el papiro, determinó el emplazamiento de la entrada secreta...
Bien... Y ahora contad diez codos a partir de esa estela...

¡Aquí es!... ¡Manos a la obra! Cuando salga el sol todo ha de estar terminado.

(1) Medianoche.

Después de tres horas de duro trabajo localizaron una enorme losa móvil y, tras apartarla, descubrieron una escalera tallada en la roca...

Obedeciendo un gesto de Merira, los porteadores se acercaron y poco a poco el fabuloso tesoro de Akenatón desapareció en las entrañas de la Tierra.

Luego, el cortejo se puso en marcha por los interminables pasillos de acceso iluminados por el resplandor de las antorchas.

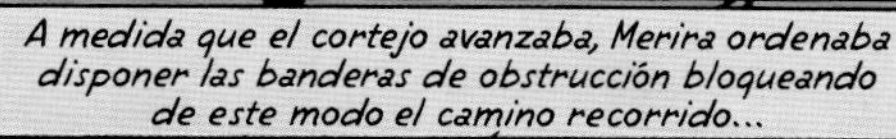

A medida que el cortejo avanzaba, Merira ordenaba disponer las banderas de obstrucción bloqueando de este modo el camino recorrido...

¡Poned esas piedras!

...provocando gran miedo entre los hombres...
¿Cómo volveremos, Merira?
No te preocupes, amigo...

Así llegaron a la capilla de la iniciación...
...Aquí, en el pedestal de Osiris...

...Y por fin a la gran cámara de Horus, donde un misterioso sarcófago verde parecía estar esperando...
¡He aquí la santa cámara de Horus!...

Después de poner piadosamente la augusta momia y el tesoro en su lugar, levantaron la gran estatua de oro, y a continuación Merira hizo jurar a todos el secreto...
...¡y que el fuego de Atón reduzca a cenizas al perjuro!...
¡Sí, que así sea!...

Los deberes del sacerdocio me llevan a Akenatón, pero uno de nosotros, y después sus descendientes, si es preciso, velará por este lugar sagrado hasta el día del renacimiento de culto de Atón. A cada uno de los iniciados le incumbirá guardar y transmitir el secreto en espera del momento en que la luz, triunfante sobre las tinieblas de la superstición, brille de nuevo en un mundo de bondad... ¡PAATENEMHEB, a ti te corresponde el honor de perpetuar esta misión! A partir de ahora tú serás el INICIADO... ¡El guardián del secreto!...
¡Acepto!

Inmediatamente después, Merira maniobró un dispositivo colocado bajo una losa. El foso se vació y el gran sacerdote bajó...
...¡Venid!

Luego, tras hacer un gesto a sus compañeros, se introdujo sin dudarlo por la estrecha abertura de un canal aún chorreante de agua...

Después de caminar mucho rato, llegaron a una escalera que subieron para emerger en una capilla abandonada del templo de acogida de la gran pirámide de Keops, situado al pie de la planicie de Gizeh...

El día está próximo... ¡Separémonos aquí, fieles compañeros! Y tú, Paatenemheb, vela por el camino del Iniciado... ¡Adiós!
Cuenta conmigo, hermano...

Poco después, todos salieron al exterior y, tras un último adiós, se dispersaron en la noche.

El tiempo pasó, y el general Horemheb, elevado a faraón, nombró a Paatenemheb gran sacerdote del célebre templo de Heliópolis, donde continuó velando por el tesoro de Atón hasta el día en que, ya muy anciano, llamó a aquel de sus hijos que había designado como su sucesor.

Sinué, hijo mío, ya soy viejo y la muerte me llama. MERIRA, así como la mayor parte de sus fieles, están ya en el AMENT (1) y la resurrección de ATÓN aún está, ¡lástima!, lejana... Temiendo que tan importante secreto pudiera perderse, he unido al plano que me confió en otro tiempo MERIRA una relación de lo que nosotros hemos hecho por AKENATÓN, y lo he sellado en una NAOS que he colocado en un lugar que solo yo sé, en la DOBLE CASA de VIDA... Te transmito su vigilancia, así como la de la Santa Cámara: de ahora en adelante, tú serás el INICIADO, el Guardián del Secreto...

...y pasaron siglos y siglos. Egipto atravesó duras pruebas, conoció altibajos, las dinastías y los iniciados se sucedieron, pero Atón no volvió a ser su Dios... Luego llegaron los sombríos días de la ocupación extranjera...

...Los persas...
...Los griegos...
...Los romanos...
...Los árabes...

...Estos conquistadores transformaron los más bellos monumentos en canteras, y cuando en el siglo XII un terremoto destruyó la ciudad de El Cairo, la necrópolis de Gizeh fue saqueada con el fin de reconstruir la ciudad. Cuando el templo de acogida desapareció totalmente, y en su emplazamiento comenzó a edificarse la ciudad actual, el iniciado de entonces hizo levantar su propia morada encima del viejo canal que llevaba el agua del Nilo hasta los fosos de la cámara de Horus...

...En el mismo lugar donde 2.500 años antes habían emergido Merira y sus fieles...

Y de este modo, el secreto se mantuvo a través de todas las vicisitudes. Mientras tanto, desafortunadamente, el papiro de Paatenemheb se había perdido y Manetón, sacerdote no iniciado en el culto a Atón, lo redescubrió por azar cuando consultaba los archivos de la biblioteca sacerdotal del templo de Heliópolis. Hizo una copia destinada al rey Ptolomeo y un fragmento de ese documento cayó en manos del profesor Ahmed, y después en las del criminal Olrik...

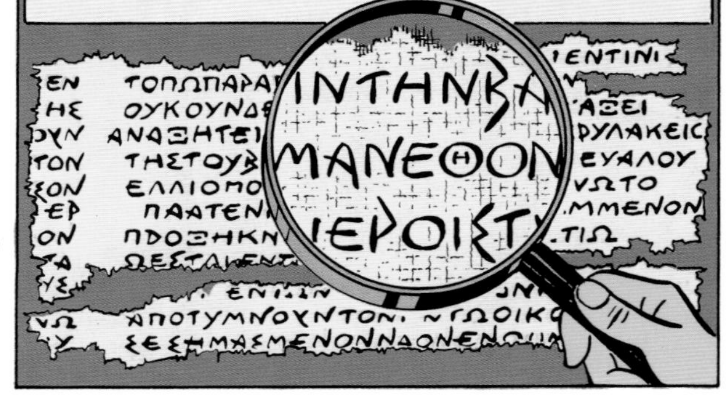
INTHNB
MANEΘON
IEPOIKT

(1) País de las sombras secretas.

La amenaza era grave y nunca, desde el principio, el secreto de la cámara de Horus había estado en semejante peligro. Pero yo, Abdel Razek, descendiente de Paatenemheb y último depositario del culto sagrado, estaba al acecho... Y lo seguiré estando a la espera del advenimiento en esta tierra de un reino de luz y justicia...

Pero mientras el misterioso egipcio termina su relato, los humos del incienso se disipan poco a poco...
¡Qué visiones más extrañas y maravillosas!
¡Tengo la sensación de haber utilizado la máquina del tiempo!

Ahora es preciso que nos separemos. Toma esto, profesor Mortimer, y guárdalo como un recuerdo mío...

En la mano de Mortimer, Abdel Razek ha puesto un anillo de oro adornado con una curiosa piedra grabada.

Es lo único que os quedará de vuestra aventura... Porque tendréis que olvidar todo esto. Si he querido satisfacer vuestra legítima curiosidad es porque sé que sois hombres de bien. Sin embargo, el secreto por el que velo es demasiado importante para que cualquiera lo sepa.
¿Qué quieres decir? ¿Y Olrik?
Es imposible: ese hombre ha de ser entregado a la justicia.

No temáis, la justicia de Dios ya lo ha castigado... ¡Miradlo!
¿Qué está haciendo?
¡Oh!... Pero...

Con mirada extraviada, Olrik, sentado junto al sarcófago, juega maquinalmente con las joyas que tanto había codiciado...
¡Ja! ¡Ja! ¡Ja! A la sombra del gran dios Harmakis... Hay... oro... oro... Mucho oro...

¡Está loco!
¿Qué vas a hacer con él?
¡Atón decidirá!

En cuanto a vosotros, vais a olvidar todo cuanto os ha sucedido desde vuestra llegada a la mastaba. ¡Olvidad!... ¡OLVIDAD!... ¡OLVIDAD!...

Fascinados, Blake y Mortimer se sienten invadidos por un extraño sueño y, a pesar de sus esfuerzos, van deslizándose en la nada.
¡¡¡OLVIDAD!!!

Tienen la sensación de que los siglos pasan y pasan... Luego, lentamente, vuelven en sí...
¡Oh, mi cabeza!...
¿Dónde estoy?

Mientras realizan un esfuerzo prodigioso para saber dónde están, de repente Mortimer lanza un grito...
¡Blake!... ¡Ahí!... ¡Mire ahí!...

Mortimer, totalmente asombrado, se ha levantado de un salto...
¡Este sarcófago! ¡Esta cámara!... ¿Reconoce usted este lugar?
By Jove! ¡La cámara del rey!

¿La cámara del rey?... ¡En el corazón de la Gran Pirámide! ¿Pero qué diablos hacemos aquí? Antes estábamos en... en... ¿Dónde estábamos?...
Pues... No sé... No recuerdo nada... Tengo la cabeza vacía...

Veamos, veamos, reflexionemos y procedamos por orden... ¡Ah, sí! El chalet, la policía... Los guardias motorizados pisándonos los talones... Luego llegamos a mi escondite... Salimos para la mastaba... Pero... ¿Por qué?...

¡Ah, ya sé! Perseguíamos a Olrik... Usted había encontrado un papel en las ropas que él había abandonado en el jardín del chalet... Un papel que indicaba que posiblemente intentaba refugiarse en la mastaba... Pero... ¿Y después?

En mi opinión, deberíamos ir a la mastaba, tal vez recordemos algo más.
All right! Nos alumbraremos con esta vela. ¡Salgamos de aquí!

Los dos hombres, todavía aturdidos, cruzan los corredores y la antecámara.

...luego desembocan en la gran galería...

Al fin, por el corredor ascendente y por el de entrada, ven pronto el orificio que se abre a la altura de la base dieciséis.
¡Ya es de día!
¡Uf! ¡Por fin! ¡El sol!...
Tengo la sensación de haber pasado diez años bajo tierra...

Blake lanza de repente una exclamación...
¡Mortimer, mire!

Abajo, varias personas corren hacia ellos gesticulando...
Ya Salam! ¡Es él!
Himmel herr gott!
¡Eh, profesor!
¡sahibs!

Saltando de bloque en bloque, Blake y Mortimer llegan al pie de la pirámide al mismo tiempo que quienes les esperan...
Profesor, ¿de dónde salen ustedes?
Señores... Yo...
¡Esperen!
Ach, mien Gott! Querido amigo, por fin...

¡Basta! Soy yo quien hace las preguntas... En primer lugar... ¿quién es este individuo?

Mi querido comisario, permítame presentarle al capitán Blake del I.S., alias Abbas y exquufi(1) del doctor Grossgrabenstein.
¿Él?... ¿Blake?... ¡Pero si está muerto!...
Lamento contradecirlo, comisario, pero en realidad decidí, de acuerdo con mis jefes, aprovechar el atentado fallido contra mi persona para desaparecer oficialmente con el fin de sorprender mejor a Olrik, por quien nuestros servicios se interesan muy especialmente. De este modo, disfrazado de trabajador indígena, pude deslizarme entre sus hombres...

Bien... De acuerdo... Pero eso no justifica que se dieran ustedes a la fuga ni lo que hayan hecho después...
Nosotros... Veamos... ¡Ah, sí! Fuimos a la mastaba para esperar a Olrik...
Sí, eso es, a la mastaba...

¿Pero qué me están contando?... ¡La mastaba ya no existe!
¿Cómo?...
¿Qué está usted diciendo?

Ja! Señores, kaputt!... Todo se vino abajo esta noche. Ach! Una mastaba tan bonita...
¿La mastaba se ha venido abajo?
¿Está usted bromeando?

¡No, nadie bromea! Esta noche pasada, después de su huida, los prisioneros nos contaron una historia fantástica de un papiro robado del museo y de un tesoro oculto bajo la Gran Pirámide, en una cámara secreta a la que se accede por la mastaba. Puse en aviso al profesor Ahmed y fuimos al lugar, donde nos encontramos con este hindú que nos contó una historia todavía más absurda de magia y brujería.

Sí, sahib. Me encontré en la mastaba el talismán que el jeque le dio. Tuve miedo de que les hubiera ocurrido algo y me dirigí a toda velocidad a ver al jeque para pedirle ayuda. Abdel Razek, después de verles a ustedes en el agua de una pila mágica, me ordenó que volviera aquí a esperarlos. Mientras le estaba explicando todo esto al comisario Kamal...

...un gran estruendo sacudió las entrañas de la tierra y, cuando intentamos penetrar en la mastaba, constatamos que se había venido abajo y que era imposible quitar los escombros... En tales condiciones, comprendan mi escepticismo al decirme ustedes que pasaron la noche en la mastaba...

Decididamente, la situación es cada vez más rara... ¿Y qué diablos pinta Abdel Razek en toda esta historia?
Por mi parte, sin poner en duda el relato del comisario, sigo creyendo que...

¡No sigan! ¡Guárdense sus secretos, caballeros! Daré parte a mis superiores y veremos qué piensan de esa curiosa amnesia...

¡Vamos, señores, calma, calma! Y dado que este asunto interesa ante todo al departamento de antigüedades, les invito a que vengan a concluir las discusiones a mi casa, alrededor de una mesa bien provista...
¡Bueno, no me parece muy legal, pero...!

¡En marcha! Ya no tenemos nada que hacer aquí...
¡Vaya! ¡La investigación ha concluido!
...sí, y posiblemente se archive sin más...

Y bien, querido amigo, ¿qué tal esa cámara de Horus?... ¿No tenía yo razón previniéndolo contra su imaginación?...
Bueno, yo no soy un verdadero egiptólogo...

¡Ah! ¡Están ustedes con secretos!... ¿Y ese tesoro?... ¡Ni una palabra!... ¡Comprendo!... Pero recuerde que soy comprador... ¡Su precio será el mío!...
Pero doctor, le aseguro que...
¡Silencio! ¡No diga nada más!... ¡Y cuente con mi discreción!...

(1) Quufi: obrero especializado en el trabajo de excavación.

¿Pero qué les pasa a todos? Y si la mastaba se vino abajo, ¿qué hemos hecho nosotros esta noche?... Tengo un vago recuerdo de imágenes resplandecientes... Pero debe de ser un sueño, sin duda...
Me ocurre exactamente lo mismo.

¡Oh! ¿De dónde ha sacado ese anillo?
¿Este anillo?... By Jove!

En el dedo de Mortimer brilla la misteriosa joya que Abdel Razek le dio antes de sumirlos en el olvido.

Dígame, amigo mío, ¿está usted seguro de que se trata realmente de un sueño?...
Es lo que ahora mismo me estoy preguntando...

Instintivamente, los dos hombres dirigen su mirada hacia la gran pirámide y...
¡Mire allá arriba!... ¿No es...?
¡Sí, es Abdel Razek! ¡Extraño personaje!

Pero la voz del comisario interrumpe sus reflexiones.
¿Vienen ustedes?
Sí, comisario...
¡Ahora vamos!

Y, mientras desde lo alto de la antigua tumba de Keops, el jeque Abdel Razek los ve alejarse...

...a lo lejos, Olrik, sumido en la locura y obedeciendo, dócil, las órdenes recibidas, se adentra en el ardiente desierto hacia un fin desconocido...

FIN

¡Oh, Atón vivo, la gloria sea contigo!...

FIN